晨讀 *10* 分鐘

[小學生]

# 閱讀素養
# 故事集

總策劃──黃國珍

作者──陳昆志、品學堂編輯群

漫畫──毛豬、插圖──水腦

# 目錄

## 閱讀心法 07　樹狀圖與心智圖

## 閱讀心法 08　用假設探索未知

## 閱讀心法 09　驗證讓理解變得可靠

## 閱讀心法 10 從形式理解文本

## 閱讀心法 11 帶著立場閱讀

## 閱讀心法 12 閱讀世界的無限文本

## 綜合練習

# 出版及總策劃序
# 閱讀需要你理解

文／黃國珍（品學堂創辦人、《閱讀理解》學習誌總編輯）

無論你過去喜歡或不喜歡，重視或不重視，閱讀能力與素養，已經是一個無法迴避，甚至無法以過往的經驗去認知的能力，因為現在所談的閱讀素養與過往的所知的閱讀，其定義、能力和對個人的影響，在專家學者的研究下，建立出一套未來人才需要擁有的新觀念和學習內容。因此，素養導向的閱讀，需要你理解。

「閱讀」從 2000 年開始，在全球的教育變革中，成為關鍵的核心素養。這轉變也牽動語文課程的教育現場，從學科內涵到教學方法的根本改變。

過去的閱讀教學著重於從經典著作中，培養文字語言的應用能力，建立對文化的認知，在作者的文字中，領悟生活的意義，學習人格典範，是語言、文化與生命三項學習的綜合。這學習目標的設定，也成為學生閱讀內容的選文標準，因此，大量具歷史文化指標性的經典作家與其作品，成為學生閱讀的主要內容，形成文學與文化的學習。這樣的學習情境下，造成文學與文化的內容成為學習的主體。而閱讀本身，包括閱讀行為自身的知識、技能與態度，反道成為次要，甚至是被忽略的學習內容。

這個情況直到臺灣從 2006 年開始參加 PISA 評量計畫（the Programme for International Student Assessment，國際學生能力評量計劃）有了改變。這項由經濟合作暨發展組織（Organisation for Economic Co-operation and Development，OECD）自 1997 年起籌劃的國際性評量，藉由學生受測的表現，了解各國教育對學生未來發展個人、參與社會的幫助，探討教育於當代的外延與內涵，作為各國教育體制修正與發展的依據。PISA 對閱讀素養給予一個有別於我們以往對閱讀學習的認知，著眼於接軌真實生活需要的定義，意指讀者是否能「在閱讀文本內容時藉由理解、應用、自我省思等方式，以實現個人目標、發揮內在潛能及參與社會的能力。」就此定義中，閱讀並非被動的接受訊息，對於閱讀內容，不該是未經反省的照單全收，而是主動的探究與思考訊息。因此，讀者要能進行省思回饋、更要能批判閱讀內容，與作者互動並積極與社會。這也意謂著閱

讀教育所培養個人能力，是為了讓同學能閱讀生活，理解世界，參與社會，為個人與世界創造最大價值的學習。

PISA 對閱讀的定義，相當符合當前真實情境與未來的需要，但許多家長甚至是小學高年級準備升國中的同學都曾問我：「這樣的能力好像是年齡大一點的學生才有需要，或年段太小還無法學習吧？」雖然閱讀素養的確有很多新觀念和方法需要學習，但並不是只有年紀較大的同學，如高中生才能學習。關於這個問題的答案，正是品學堂編輯們共同努力編寫這本書和值得你閱讀的原因。

如果你願意，從小學四、五年級開始，就可以藉由這本書進行閱讀素養的學習，透過規劃好的單元，設計過的閱讀內容與議題討論，逐步在閱讀學習歷程中，學會取得訊息，看見之間的關聯，分辨事實與觀點，理解作者想傳達的訊息，最後能反思外在的問題與自己的想法，掌握新課綱需要的閱讀素養。

《晨讀 10 分鐘：閱讀素養故事集》全書將閱讀素養的閱讀歷程，為同學去繁化簡，提綱挈領的分為訊息、關係、核心問題、歸納、上位概念、事實與觀點等 12 個閱讀心法，從觀念到方法，循序漸進的規劃完整學習。各單元中的選文，包含說明性與傳達情意的文章分類，連續與非連續的文本形式，跨領域的主題內容，還有 108 新課綱的永續、海洋、性別平等、人權、安全、防災等十九項議題文本，都是品學堂的編輯群為了確保同學有效學習而特別設計撰寫。所以，不論是學生自學或是學校選為閱讀教學的輔助材料，都能提供清晰的課程架構，豐富多元的學習內容，達到提升閱讀素養的目標，接軌真實世界的閱讀需要。

參與臺灣閱讀教育工作九年，我經常聽到家長與同學的回饋，期待有一本書能成為同學閱讀素養的啟蒙讀本。這次有機會擔任《晨讀 10 分鐘：閱讀素養故事集》這本書的總策劃，正好能協同品學堂的編輯與親子天下的夥伴，以這本書回應各位家長與同學的期待。希望《晨讀 10 分鐘：閱讀素養故事集》能啟蒙同學們對閱讀的認知，提升各位讀者的能力，讓閱讀素養成為你學習與實現夢想的關鍵助力。

# 使用說明

1. 漫畫情境式引導，認識心法概念。

2. 小試身手短文閱讀：配合故事文本與訊息文本設計，透過提問，練習閱讀心法概念。

3. 長文本閱讀：以 19 項議題的主題為經，連續文本、非連續文本及混合文本三種現實生活文本為緯，輕鬆征服跨領域文本。

4. 配合「閱讀練習本」使用：針對長文本設計閱讀思考練習題，深化概念。

5. 提供參考解答，能驗證並精熟及應用閱讀理解技巧。

閱讀心法

01

# 辨識訊息

過去，我們都覺得「字詞」是文章的最基本的元素，但是隨著科技發展，閱讀的內容改變了，除了文字外，也加入了圖表、影像，甚至是聲音，有越來越多不同類型的內容需要「閱讀」！這讓我們不禁開始想：「字詞」真的是組合閱讀材料的基本資訊嗎？還是傳遞的訊息才是組成閱讀材料的基礎？究竟又該怎麼辨識「訊息」呢？

# 我們閱讀的是什麼？

說到「閱讀」，大部分的人第一個想到能讀的東西可能是「書」。

但是除了「書本」可以被閱讀外，一份報紙、一張宣傳單、一張車票、網頁電子新聞、捷運地圖，甚至是招牌上的文字都可以閱讀。

廣義的來說，只要能「透過觀察，從一件事物中得到一些東西」，都可以稱為「閱讀」。因此，其實沒有文字的東西也能閱讀，像是玩具包裝盒或是商品、甚至是水果，我們都可以透過外盒的標示，或是貼在上頭的標籤貼紙，知道它的價格和產地或是品種、組成材料等相關資訊。除此之外，物品本身的大小、形狀、顏色、氣味，也都能告訴我們關於它的故事。

生活中各種有形的物品都可以透過觀察，得到不同的訊息，因此天氣也可以被閱讀──陰暗多雲的天空，可能表示即將下雨、魚鱗狀的雲則是晴朗天氣訊號；迎面駛來的公車也可以閱讀，因為上面標示著路線號碼和目的地；到便利商店買早餐，寫著「茶葉蛋買一送一」的廣告；學校門口導護老師板著一張臉；或是聽到學校的鐘聲或是課堂間音樂，也都有不同的意義，這些出現在生活中大大小小的事物，都可以是閱讀的內容。

表情嚴肅
表示認真

有皺紋
表示操勞

身穿背心
表示＿＿＿＿

這些能被閱讀的事物有個共通點——它們都「包含了某些訊息」。無論是路上有形的招牌，或者是人的表情都能提供我們關於周圍人事物的訊息；無形的事物，同樣也可以傳達訊息。因此，眼睛閱讀的文字可以傳達情節或是角色的想法；而耳朵聽到樂器的聲音或是歌聲，可以傳達心情，或是讓我們想起了誰；鼻子聞到的味道，可以傳達可能附近有哪些東西發出什麼樣味道；舌頭嚐到的味道，也傳達了各種滋味的訊息。

　　「訊息」是所有「能被閱讀的東西」的基礎，所有的閱讀都是從辨識訊息、解讀訊息開始，然後形成對這些訊息綜合的理解，最後產生意思、形成意義。

　　準備好閱讀這個除了白紙黑字之外的繽紛多彩世界了嗎？

　　現在，先試著找找看生活中的各種文本各有什麼訊息吧！

**小試身手　商陵君養龍**

請你找出以下幾種訊息，並想一想正確的答案是什麼呢？

- **故事主角：○商陵君　○隨從　○穿山甲**
- **主角獲得的動物是：○穿山甲　○龍　○螞蟻**
- **這隻動物是真的「龍」嗎？　○是　○否**

---

有一個人送了一隻穿山甲給商陵君，宣稱這是一條龍。

商陵君聽說是龍，非常高興，便問這個人說：「牠平常吃什麼？」那人回答：「螞蟻。」於是商陵君便吩咐隨從飼養螞蟻，好作為龍的食物。

一個商陵君的隨從說：「這不過是一隻穿山甲，不是龍！」結果商陵君大怒，命令把這個隨從抓起來，實施鞭刑。其他的人見了，心中懼怕，都不敢再說那隻動物是穿山甲了，紛紛把牠當成神一樣來崇拜。

有一次，商陵君在觀賞這隻「龍」，牠本來蜷曲著的身體，突然伸展開來。圍觀的人都假裝驚訝，說道：「這是神蹟啊！」商陵君看到這個景象，決定把這隻「龍」移到宮殿中飼養。結果到了晚上，這隻「龍」就掘開牆壁離開了。商陵君看著牆壁上的洞，心裡感到惋惜不已。

為了把「龍」喚回來，商陵君命人把飼養的螞蟻拿出來，祈求「龍」的回歸。沒過多久，突然天色大變，電閃雷鳴，天空中出現了一隻真的龍。

「龍啊，快回來吧！我已經為您準備好您最愛的螞蟻了！」商陵君對著天上的龍呼喊著。

但真的龍怎麼會吃螞蟻呢？只聽到一陣巨響，一道落雷擊中了宮殿，商陵君被雷擊中，就此一命嗚呼。

周圍有智慧的人聽到這件事，都說：「商陵君真是太愚蠢了，把假龍當作真龍，把真龍當作假龍，還拿穿山甲的食物要給龍吃，這不是自找的嗎？」

（改寫自選自明・劉基《郁離子》）

小試身手 | **有趣的乒乓球**

請你找出以下幾種訊息，並想一想正確的答案是什麼呢？

· **文章介紹主題：**○**乒乓球** ○**賽璐珞**
· **何者不是乒乓球的材質：**○**實心球** ○**小皮球**
  ○**賽璐珞材質球** ○**天然樹脂**

乒乓球這項運動，只要一個檯面、一張網子、一顆小球和兩隻球拍，就能開打，不僅需要的空間不大，入門者的能力門檻也比其他需要長距離移動、或是需要由身體碰撞的球類來得簡單，因此成為許多人選擇的休閒運動之一。

不過你有想過，「乒乓球」是什麼樣子嗎？像所有的球類運動一樣，我們現在看到的「乒乓球」也是經過一段時間的發展，才從最初的實心球、小皮球，慢慢演變成現在的塑膠小白球或是小橘球。

在十九世紀時，賽璐珞（Celluloid Nitrate）材料問世，旋即成為當時乒乓球的主要材料。賽璐珞是人類最早發明的熱可塑性樹脂，具有容易加工、質量輕等特性，很適合用來大量生產乒乓球。然而它的缺點也很明顯：熔點低、易燃燒，而且燃燒時會產生毒性，這些缺點使得賽璐珞材質的乒乓球在新的材料問世後被取代。如今，正式的賽事都禁止使用賽璐珞材質的球。

目前主要的乒乓球改以更安全的高分子聚合物製作。在工藝上，分成有縫球和無縫球兩種。有縫球是將兩片半圓球體分開製造，最後黏合在一起。這種球因為材質不平均，整體的彈性較弱，但旋轉力則較強；而無縫球則是採用一體成形的方式製造，與有縫球相比，彈力較強、旋轉規律。

由於這兩種球特性有些微差異，因此發展出相對適合的不同打法，但這兩種球都合乎比賽標準，所以球員在參賽時，常常需要注意該賽事的用球，有時甚至因為用球而決定是否參賽呢。

海洋教育

# 吃對海鮮四原則

隨著地球人口的增加，人類需要更多的食物；捕撈技術的進步更讓人類有能力大量捕捉海中生物。加上生活條件的提升，各項資源不再受到珍惜，海中生物也因為一些濫捕行為逐漸耗竭。而臺灣四面環海，餐桌上常出現各種海鮮料理，如何選擇對海洋友善的海鮮是身為臺灣人應該具備的常識。除了瀕臨絕種的物種以外，什麼樣的海洋生物是不適合食用的？吃哪些海洋生物會更容易造成海洋生物的浩劫？以下我們列舉出四個挑選的原則：

## 減少食用魚卵

烏魚子、油魚子和魚卵沙拉，是三種常見的由海中生物的卵所製作成的食品。烏魚子是由海中捕撈烏魚過後，取得烏魚的魚卵所製成的，相較於烏魚殼（指已被取下烏魚子與烏魚鰾的烏魚），烏魚子在市場上的需求量較高，因此只購買烏魚子容易造成魚肉浪費，建議若是食用烏魚子，可以搭配購買烏魚殼，以達到「全魚利用」。

油魚子則是由薔薇帶鰆魚的魚卵加工製成；魚卵沙拉則是由旗魚和鮪魚的魚卵加工製成，而旗魚、鮪魚的魚肉市場需求量較高，如果真的想要享用海中生物的精囊和卵，或許購買油魚子和魚卵沙拉會是較好的選擇。不過由於人體難以消化油魚內含的蠟酯，容易引發腹瀉，近年來已被宣導不建議食用。

## 避免選擇對環境不友善的捕撈方式

對環境不友善的常見捕撈方式有「拖網捕撈」，拖網捕撈顧名思義就是將漁網沉至海底拖行，一次將海底的魚貨一網打盡。這種捕撈方式不僅會造成過度捕撈，被捕撈上來的魚貨中更多是被誤捕，然而這些誤捕的魚貨最後也難逃死亡；更恐怖的是，拖網捕撈因為直接沉至海底拖行，海床上的生物諸如海膽、海筆、海綿、蚌類、蠕蟲及蛤蜊等也都難逃被捕捉的命運，就算倖免於難，海洋生物的棲息環境也會在漁網拖行的過程中被破壞殆盡。

另外還有一種稱為「桁桿式蝦拖網漁法」的特別拖網捕撈方式，在捕撈的過程中，會同時使用電流刺激海蝦彈跳入網中，儘管這種捕撈法已被《漁業法》禁止，但是像斑節蝦若不用這種方式就很難有效捕捉，因此到目前為止還是無法真正杜絕。

## 選擇養殖品種

　　購買用養殖方式培育出來的魚種，可以減少對海中食用魚類的捕撈。不過如果想要透過食用養殖漁業就能保護海洋，又不完全正確。因為養殖漁業所使用的飼料是由魚貨捕撈中經濟價值較低的「下雜魚」和魚粉製成。一般來說，三到五公斤的下雜魚只能養成一公斤的魚肉；雖然魚粉吸收率較好，但是三到五公斤的魚肉，也只能提煉出一公斤的魚粉。因此並非只選擇食用養殖魚，就能夠解決過度捕撈的問題，最根本的問題還是必須減少食物浪費，同時慎選養殖魚種。

　　挑選對環境友善的養殖魚種，要以成長快，對動物性蛋白質需來源求低的品種為主，如鱸魚、午仔魚、金鯧，另外鹹文蛤、鹹蜆仔或滷九孔──也是合適的選擇。

## 選擇成魚食用

　　減少吃野生捕撈的幼魚，像是我們常看到的魩仔魚，就是鯷科與鯡科的幼魚。魩仔魚的料理一次用到大量的魩仔魚，等於是一次耗盡數以百計的魚。另外老成魚有較高的排卵量，排出來的魚卵品質也比較好，能為魚群提供強壯的下一代，因此我們也應該要避免食用。

**Note**

17

家庭教育

# 阿志的反省日記

2021 年 9 月 17 日（五）

　　昨天有好多考試，原本想在想放學後，打個電動放鬆一下，但爸爸卻在晚餐後，叫我先去寫評量。哎呀！我寫了一整天的考卷，手都快累死了，哪有力氣啊！所以一不小心，一句「不要管我」脫口而出，我們就吵起來了。

　　今天到學校時，可能是情緒還寫在臉上吧！老師看到我就問我怎麼了？還追問我是不是心情不好？要我把事情的經過告訴他。一開始我覺得很生氣，好煩啊！為什麼大人們總是要我們去做我們不想做的事？爸爸還說我不懂得利用時間？時間是我的，憑什麼別人可以干預我想怎麼安排？

　　沒想到，老師卻跟我說：「你是不是覺得寫了一天的考卷，很累，所以想休息一下？可是你沒有說出來，你爸爸怎麼會知道呢？每個人當然都有權利做自己想做的事，但人是群體生活的，有時候難免會因為角色不同，或知道的資訊有差異，而出現意見不同的地方，這時候溝通就很重要了。缺乏溝通的話，很容易發生爭執的。」

　　雖然覺得昨天晚上沒有打到電動很不開心，但想一想，如果那時候我能夠好好跟爸爸說話，也許事情會不一樣吧！

　　老師交給我一個圖表，說：「先從『發現問題』開始吧！把自己想做和不想做、父母想你做和不想你做的事情列出下來。把事情列出來之後，可以去想一想，為什麼有些事你想做，但父母卻希望你不要做？反過來看，有沒有什麼事是你不想做，但父母希望你做的呢？這些地方都需要

溝通。溝通不只需要把自己的想法告訴對方，也需要試著了解對方為什麼會這麼做的原因。但是千萬別忘了，其實在很多事情上，父母和你的想法是一樣的，這也是非常重要而且珍貴的喔！」

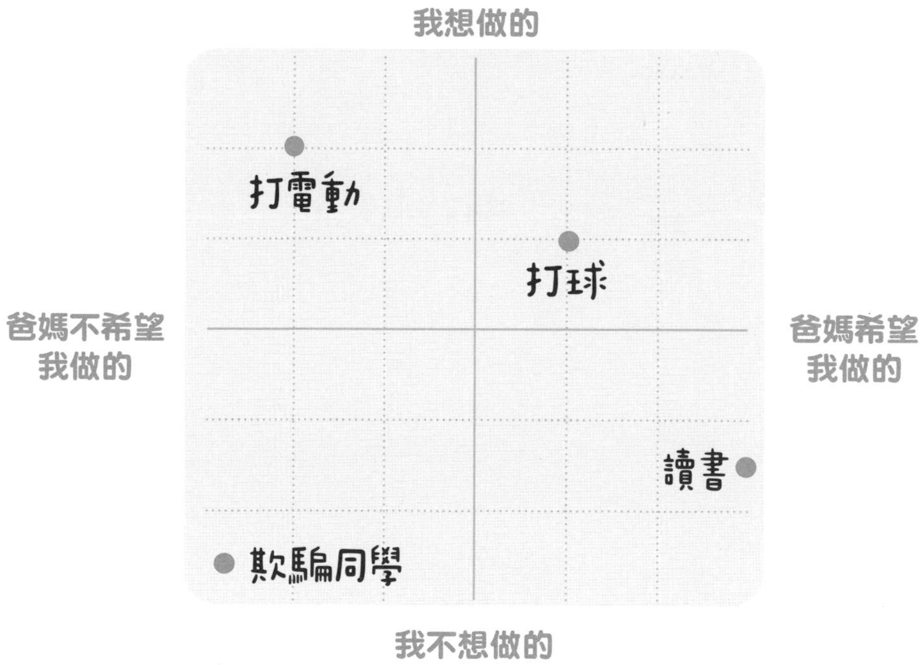

**我想做的**

打電動

打球

**爸媽不希望<br>我做的**

**爸媽希望<br>我做的**

讀書

欺騙同學

**我不想做的**

防災教育
# 地震須知

想一想,這是一張什麼宣傳單,又會在什麼情境下使用呢?

## 災前

**確認住屋風險,事先固定家具重物**
檢查住屋結構,如建築是否老舊、管線是否破損等。並且固定家具和大型物品,避免地震時倒塌傷人。

**備妥防災物資,擬定逃生計畫**
家中應常備手電筒、飲用水和乾糧等緊急物資,並擬定可行的逃生計畫,避免災害發生時反應不及。

## 災時

**如果你在家中……**
尋找桌子或房子的支柱躲藏,如果位在浴室或廚房,請避免滑倒或被器皿砸到。行動前應謹慎觀察環境。

**如果你在公共場所……**
尋找桌子或建築物的支柱躲藏,勿搭乘電梯。若遇人潮眾多,切勿奔跑,以免因跌倒和推擠而受傷。

**如果你在戶外……**
戶外相對安全,請留在原地靜待地震結束。若處於行駛的車輛中,請將車輛停靠在路邊直至地震結束。

## 災後

**密切留意餘震,受困時冷靜求援**
地震後別貿然行動,可能會有餘震發生。若受困請保持情緒穩定,評估狀況,盡可能的求救並冷靜等待。

**注意清理安全,鄰里互相協助**
清理地震後雜物須注意安全,餘震可能造成清理的傷亡。鄰里間應互相協助,儘速將社區恢復原貌。

閱讀心法

# 02

## 確認訊息的「關係」

在了解什麼是「訊息」後，你是否發現，無論是生活中的事物，或是文章、新聞報導等，都是由許多「訊息」組合而成的呢？其實訊息與訊息之間能彼此產生連結，進而影響我們對文章或是事物的理解。不過，究竟是什麼東西能把所有訊息元素串在一起，讓文字形成意義呢？就讓我們先來認識訊息之間有什麼關係，以及文章中人物或是事件的關係對文章的內容又會產生什麼影響吧！

# 訊息如何產生意義？

　　一堆訊息放在一起，為什麼會產生意思呢？關鍵就是它們之間的「關係」。

　　「關係」決定了兩件事物之間彼此的角色與互動身分，不同的關係就會產生完全不同的結果，譬如在故事中的兩個角色，會隨著「人的關係」不同，所說的話也就產生不同的意義——同樣一句「我要吃草莓！」，由父親對兒子說、主人對僕人說、公主對國王說等，每一種關係都會讓這句話有不同的意義，可能是陳述事實，可能是命令，或是撒嬌。因此，在閱讀中，「釐清訊息的關係」是非常重要的！

　　不過，究竟「關係」是什麼呢？

　　「人際關係」是生活中很常見的關係，例如我們和父母就是一種「親子關係」，在這樣的關係中，爸爸媽媽負責養育、照顧我們，我們則敬愛他們；「朋友」也是一種關係，不過朋友可以分成好幾種不同的相處模式，例如感情很好的「知己關係」，和一起吃喝玩樂的「酒肉朋友關係」。不同的人際關係決定了我們與這個人互動的方式，也決定了這個人在我們心中的意義。

　　除了人際關係外，事物之間也會有「關係」。因為「上學遲到」，而「被老師罵」，

遲到和被罵兩件事之間就有「因果關係」；「蘋果樹」是「樹木」的一種，它們之間是「從屬關係」。但是，並不是所有的訊息結合在一起，產生關係就一定會產生意義，就像是「長木棍」與「鐵塊」——如果在一根長木棍的一端綁上一塊沉重的鐵，讓它們結合，這個關係就讓它們變成鎚子，可以用來敲釘子；但是，如果我們將鐵塊綁在木棍中間，這個東西就不是鎚子了，也無法被用來敲東西了，也可能沒有意義。因此「關係」不只決定事物之間互動的情形，還決定了整體的結果。

　　閱讀就如同蓋房子，訊息是材料，關係則是這些材料排列組合的方式。如果有一位好的建築師能把材料用好的方式組合，蓋出兼顧美觀和耐用的房子，就像是一個好的創作者能釐清訊息之間的關係，寫出好文章，如此一來，就能讓閱讀的人透過觀察文本中的訊息，以及訊息彼此之間的關係，更加了解文章想要表達的內容了！

想一想,正確的描述是什麼呢?

- 農民與三個小偷關係是:〇被害人與嫌犯 〇朋友關係
- 何者與其他三個關係不同:〇山羊 〇驢 〇衣服 〇金幣

有個農民騎著一隻驢,領著一頭山羊要到城裡去賣。路途中,有三個小偷發現了他。其中一個小偷說道:「我可以神不知鬼不覺的偷走他的山羊。」

另一個說:「這有什麼難?我可以偷走他屁股下的驢。」

第三個說:「你們都太沒有志氣了!我可以把他身上衣服偷光。」

於是,第一個小偷悄悄的靠近山羊,把牠脖子上繫的串鈴解下來,繫到驢尾巴上,然後牽著山羊到野地裡去了。由於串鈴持續響著,農民直到轉彎處才發現山羊不見了,著急得要回頭找山羊。

接著,輪到第二個小偷現身了。他問農民在找什麼,農民告訴他自己的山羊被偷走了。這個小偷說:「我剛才看見有個人牽著一隻山羊跑進那片樹林裡去了。」

於是農民跑去追山羊,並且請求這個小偷幫他看著驢。於是,第二個小偷便把驢牽走了。

徒勞無功的農民從樹林裡回來,發現原本僅剩的一隻驢子也沒了,於是哭了起來。他一面哭,一面順著大路向前走去。走著走著,他看見路邊也有一個人在哭泣,便問他出了什麼事。那個人說:「我要把一袋金幣背到城裡去,剛才坐在池塘邊歇息,不料竟睡著了,結果在夢中不小心把金幣推到水裡去了。」

「為什麼不下水去撈呢?」農民問。

那人回答:「我不會游泳,要是誰能幫我把這袋金幣撈上來,我就給他二十枚金幣。」

農民暗自高興,心想:「這是上帝賜福給我啊!」

於是農民脫光衣服,跳下水去,但是他並沒有找到金幣。等他爬上岸時,他的衣服已經不翼而飛了。

(改寫自托爾斯泰〈三個小偷〉)

想一想正確的答案是什麼？

- **何者為因果關係：○豐富物質生活與減肥　○吃油與變瘦**
  **○生酮飲食與便祕　○葡萄糖不足時，會轉以脂肪來產生能量**

---

隨著物質生活的豐富，減肥已經成為現代人的基本課題之一。大部分的人都認為減肥時，應該減少油脂的攝取，但「生酮飲食」則反其道而行，直呼「多吃油，會更瘦」！這到底是怎麼回事呢？

生酮（ketogenic）是「產生酮體作用」的意思。人體主要的能量來源是葡萄糖，當身體葡萄糖不足時，人體會將貯存在體內的脂肪轉化為脂肪酸以供應能量，同時在過程中產生酮體。生酮飲食的原理，就是藉由切斷葡萄糖的供應，迫使身體透過自身的脂肪轉化為能量來源，以達到消脂瘦身的效果。

根據研究和許多人親身試驗，生酮飲食對短時間內減重有良好的效果。生酮飲食的作法是大幅提高油脂在飲食中的熱量比例（約達到總熱量的 80%），同時維持充足的蛋白質（約達到總熱量的 15%），並嚴格控制碳水化合的攝入量（不得超過總熱量的 5%）。這種飲食方式與一般人日常的飲食習慣落差甚大，因此在執行上有一定的難度。

生酮飲食最常見的副作用是便祕。此外，如果是肝臟機能衰弱、膽固醇過高，或是患有糖尿病等慢性疾病的人使用生酮飲食法，可能也會對身體造成嚴重傷害。在一些研究中也發現，生酮飲食可能造成認知力降低、口臭、骨折、兒童生長遲緩等現象。因此在嘗試這種極端的減肥方法前，應該謹慎評估自身的狀況，並聽取專業醫師與營養師的建議。

品德教育

# 杜子春與老人

古代有一個名叫杜子春的人，他年輕時整日遊手好閒，不愛工作，只喜歡玩樂，最終花光了家產積蓄，只得去投靠親友。不過親友們對於他每天無所事事的行徑很不滿，往往沒過多久，便將杜子春趕了出去。

這天，杜子春獨自走在冬季的長安城街頭，飢寒交迫的他不由得嘆了一口氣。突然，一個老人出現在杜子春的身後，問道：「年輕人，你為什麼嘆氣呢？」杜子春把自己的遭遇告訴老人，講到親友拋棄自己時，顯得非常激動。老人問：「那麼，多少錢才足夠你花用呢？」杜子春想了想後說：「大概三、五萬吧！」沒想到老人卻說：「太少了吧！」杜子春又回答十萬與一百萬，但老人都覺得不夠，要他再想想。杜子春只好說：「那給我三百萬吧！」老人這才滿意，笑道：「這還差不多。」說完，便送給了杜子春三百萬。

獲得意外之財的杜子春大喜過望，不過他並沒有記取教訓，很快的便回到以前放蕩的生活，把錢全用在吃喝玩樂之上。不到三年，他又變得一貧如洗了。

杜子春只得回到東市的街頭，這時，三年前的那個老人又現身了。老人問杜子春：「你怎麼又變成這樣了？不過沒關係，我可以再幫你一次，這次你需要多少錢？」杜子春心裡慚愧，不敢接受協助，但老人非常堅持，於是最後杜子春又得到了一大筆錢，這次是一千萬。

「絕不能重蹈覆徹，我一定要發憤圖強。」杜子春暗自發誓。

不過，當杜子春再次花光這筆錢、流落街頭時，也只是四年後的事而已。

落魄的杜子春在相同的地方遇見老人，因為太過羞愧，他不敢面對老人，急忙掩面而走。老人趕緊抓住杜子春，說：「你要躲去哪裡？逃避是最愚蠢的啊！」老人這次給了杜子春三千萬，並對他說：「如果這樣你都沒辦法改過自新，那真是無藥可救了。」杜子春心想：「我這樣揮霍無度，把自己搞得身敗名裂、處處受人嘲諷。我的親朋好友都棄我而去，只有這個老人願意幫助我，我要怎麼做才能對得起他？」於是他告訴自己：「經過這些事情之後，我一定會自立自強的！而且我不僅要照顧好自己，我也要幫助身邊需要的人。如果我將來有所成就，都是因為您的幫助和教誨。」

老人說：「這就是我對你的期望啊！」原來老人是一位仙師，他想試煉杜子春是否是個適合修仙的人。

經過一連串的事件之後，杜子春終於不再是那個恣意妄為的青年。他拿著仙師所贈與的資金，來到當時有許多孤兒和寡婦居住的淮南，購置百頃良田，建造屋舍，並開設學校，收容這些人，幫助他們改善生活，並且找到過去對自己有恩的人，一一報答。在完成所有該做的事之後，杜子春感念仙師的恩德，於是踏上旅程，出發尋找仙師了。

**Note**

混合文本

# 生殖健康和性別平等有什麼關係？

人類歷史要到很晚期才逐漸出現男女平等的概念，開始意識到性別平權的重要。儘管在被稱為「啟蒙時代」的十七、十八世紀，歐洲逐漸開始挑戰君王與教會對老百姓的統治權，認為人人都生而平等且自由，但這樣子的自由往往只限於男性擁有，如啟蒙時期的重要思想家洛克（John Locke）就認為，妻子和女僕不應該擁有財產權和公民權，她們工作所獲得的成果屬於其丈夫和主人。

經過許多女權鬥士幾百年來的努力，現今女性已經可以和男性一樣受教育，不再被限制只能當家庭主婦；女性工作賺取的金錢可以直接歸自己所有，而且也和男性一樣擁有投票權，能參與政治活動，由誰來領導社會的發展。

但是「性別平等」不只是不同性別能否享有同樣的工作機會，或是否都被允許參與政治活動。在我們生活中，有一個與我們更切身相關的指標，可以反映出一個社會性別是否平等，那就是「生殖健康」指數。

聯合國的開發計畫署（UNDP）在 2010 年時就製作了一個性別不平等指數（GII）量表，透過這份量表的計算，最後會出現一個介於 0 ～ 1 之間的數值，數值越小代表男女之間越趨於平等。而 GII 主要針對三個領域的評估，其中一項就是「生殖健康」，而其餘評估的項目則是前面提到的工作權、受教權還有參政權。

「生殖健康」指的是人們可以有安全且負責任的性行為，並且有自由決定要不要生育，何時生育及生育的次數，也就是一個社會中男性和女性都具備生育控制的相關知識。而所謂的生育控制，指的就是具備避免懷孕的知識與能力。

GII 以「孕產婦死亡率」、「未成年生育率」作為「生殖健康」的評估指標。當一個社會的「孕產婦死亡率」低，代表的是女性在生育的過程中醫療照顧具有保障，同時也代表著女性有足夠的自由，選擇在她身體較為健康的情況下生育。而「未成年生育」的原因，通常來自於性行為雙方的避孕知識不足，或是女性遭到男性強暴或性侵害。所以未成年生育率低，代表了一個社會普遍具有足夠的避孕知識，並且能方便取得避孕用具，更重要的是，它代表一個社會的男性對女性有足夠的尊重，不會在對方沒有意願的情況下進行性行為，或是在對方有避孕需求的情況下，無視對方的需求進行性行為。

| 領域 | 指標 | 資料蒐集年 | 數值 |
|---|---|---|---|
| 生殖健康 | 孕婦死亡率 | 2015 | 12（人 /10 萬活嬰） |
| | 未成年（15-19 歲）生育率 | 2018 | 4.0‰ |
| 賦權 | 國會議員比率 | 2018 | 女：38.7%<br>男：61.3% |
| | 中等以上教育程度占 25 歲以上人口比率 | 2018 | 女：81.7%<br>男：90.1% |
| 勞動市場 | 15 歲以上勞動力參與率 | 2018 | 女：51.1%<br>男：67.2% |

我國 GII 分項指標

表一：我國 GII 分項指標（資料來源：行政院性別平等會網站）

　　根據行政院性別平等會的網站統計，2018 年臺灣的 GII 指數在全世界主要國家的排名為第九名，是亞洲國家之冠。但我們也可以透過這些數據，去思考我們還可以有哪些進步的空間。

表二：2018 年主要國家 GII 與排名（資料來源：行政院性別平等會網站）

戶外教育

# 登山意外誰的錯？

2021 年 8 月 13 日

ANN：

最近看到新聞，又有登山客不顧天氣變化，強行登山，最後受困在深山裡，政府因此出動大量人力物力救援。奇怪耶，為什麼自己沒有準備好，卻要花我們全部納稅人的錢去救他？自己的安全自己評估、自己負責，不是天經地義嗎？

＃ 登山意外

＃ 自己的安全，自己負責

**2021 年 8 月 13 日 19:20**

LISA：

我覺得政府有義務保障國民的安全耶。當國民發生緊急危難時，政府協助救援也是合情合理的。不過更好的作法應該是做好預防措施，例如禁止一些危險的戶外活動，或在危險的地方增加一些危險告示等。

**2021 年 8 月 13 日 19:45**

KUCCI：

真的不該浪費資源！搞不懂那些硬要去爬山的人在想什麼，他們真是活該！這些人應該從世界上消失！

**2021 年 8 月 13 日 20:21**

WENDY：

@LISA 預防措施很重要，不過，與其一味的禁止，不如透過教育養成正確的戶外活動觀念，讓國民都具備對危險的評估和應變能力，這樣不但能減少意外的發生，也能讓大家更親近大自然，而且不破壞自然景觀。

**2021 年 8 月 13 日 20:22**

ALINE：

K 先生，請理性討論，盡量不要情緒性發言。雖然每個人對應該對自己的安全負責，但不意味著當別人犯錯的時候，我們就應該惡毒的批評。

**2021 年 8 月 13 日 22:10**

YAO：

@ANN 美國對於這類事件就有明文規定，政府鮮少需要對這種行為賠償。雖然政府鼓勵國民走向自然，國民也才能養成相關認知和技能。而且在美國國家公園發生意外的大多是不熟悉環境的外地旅客呢。

閱讀心法

# 03

# 找出三個問題的解答

不同的文體或是文章表現形式，像是記敘文、抒情文、論說文、電視廣告、說明書等，都能代表不同的意義與用途。不過，有沒有什麼可以讀懂所有文章的訣竅呢？

答案是有的！不管面對什麼樣的文本，我們一定能從文本中找到以下三個問題的解答：「這個文本在說什麼？」、「作者為什麼要寫這篇文章？」、及「這個文本是怎麼寫的？」，不過為什麼是這三個問題？這三個問題又要幫助我們理解文章呢？

# 找到三個問題的解答，了解文本內容

　　想要理解文本要表達的意義與內涵，首先要先從「認識文本的內容」開始。或許你已經學過好多種可以了解文本的方法，像是找出文本中的「人事時地物」，或是文章的「起承轉合」，也有人是透過分析「形式、功能、作法、意義」等試著了解內容，然而上面這些方法卻不一定能應用到所有文章中。但是，有一個方法可以適用到所有文本，那就是——找到每篇文章一定會有的三個答案！

　　首先，可以從找尋**「這篇文本在說什麼？」**的解答開始。你可以試著找出可以表達文本的內容的一句話或是一段話。

　　譬如海明威的作品《老人與海》，我們可以用以下兩個句子表達故事內容：

　　A「這是一個老人出海捕魚，然後回家的故事。」

　　B「這是一個老人出海捕魚，最後在把魚拖回港口的途中被鯊魚吃光，表達人生徒勞的故事。」

　　這兩種表達的方式不太一樣，各有優缺點，或許有人認為 A 句子簡潔有力，可以簡短表達故事情節，而 B 句子則在故事之外，又點出文本的深層含義。你可以想想看，這兩種寫法有什麼不同？你的想法又是比較偏向哪一種呢？

認識文本的內容後，再來我們可以找出**「作者為什麼寫這篇文本？」**的解答，也就是說，我們可以釐清文本被寫作的原因，從另一個角度加深對文本的理解。或許你小時候曾經讀《三字經》和《弟子規》時，是不是只熟背了內容文字，卻不太理解文本到底要表達什麼呢？但是，當你知道這兩本書的作者寫作目的是「教小朋友識字、寫字，並且傳遞基本的道德價值」，是不是對它們有更進一步的理解呢？了解作者寫文本的目的和想法後，可以讓我們更知道文本想要闡述的意涵！

　　第三個要找尋的是**「這篇文本是怎麼寫的？」**解答。「怎麼寫」指的是作者的寫作方式，寫作方式會也會影響文本的意思與精采度。有的作者習慣用順序法書寫，也有人喜歡寫抒情文、散文，或是小說。但我們可以透過觀察文本的寫作方式來了解文本。像是，偵探小說常見的寫作公式為「先寫發生凶殺案，再寫偵辦過程，接著神探說出答案，最後解密偵辦過程中的推理」，許多作者刻意把偵探解謎的思考移到最後，雖然不符合事件發生的時間順序，但卻營造出「揭開謎底」的效果。如此一來，這部偵探小說才會精采好看！因此「作者是怎麼寫的」，其實是作者透過形式讓我們更理解文本想表達的訊息及意義。

　　面對不同的文本，我們可以先從問自己這三個問題開始：「這篇文本在說什麼？作者為什麼寫這篇文本？這篇文本怎麼寫的？」，然後試著在文本中找到這三個問題的答案，相信你會更快掌握文本的內容在說些什麼。現在，就趕快翻到下一頁，練習看看吧！

想一想，正確的描述是什麼呢？

- **這個文本在說什麼？**○豐臣秀吉去打獵 ○佐吉的細心
- **作者為什麼要寫這個文本？**○展現佐吉的智慧與細心
  ○講述豐臣秀吉的好運氣
- **這個文本是怎麼寫的？**○寓言故事 ○神話故事 ○奇幻故事

---

日本戰國時代的近江境內有一座寺院，裡頭有一個名叫佐吉的小沙彌。一日，近江領主豐臣秀吉外出狩獵，回程時覺得口渴，經過寺院，便向寺中的佐吉討一碗茶喝。

「將軍，您的茶。」佐吉奉上一碗涼茶。

豐臣秀吉仰起脖子，咕嘟咕嘟的一飲而盡，對佐吉說：「再來！」

佐吉第二次送上的是半碗微熱的茶。

秀吉再次將茶喝下肚，不過這次他喝茶的速度慢了一些。感覺還有些口渴的秀吉又對佐吉說：「請再給我一杯茶。」

這次，佐吉端來的是一小杯剛煮好的、滾燙的熱茶。

秀吉慢慢的啜飲，寺院裡一陣清風徐徐吹過，讓剛剛打獵的疲憊消失無蹤了。

秀吉喝完茶後對佐吉說：「好了，現在我已經解渴了。但是你能不能告訴我，為什麼你三次給我的茶都不一樣呢？」

佐吉回答：「將軍剛剛進門時滿頭大汗，如果那時就給您剛煮好的熱茶，您會因為茶太燙而不能入口，所以我給您一碗涼茶；喝第二杯茶時您已解渴，若此時再喝涼茶，恐怕會傷身體，所以我給您溫熱的茶；直到第三杯茶時，您的身體已經緩和下來，心情也逐漸調適了，所以我才將剛沏好的上茶奉給您。」

秀吉聽了佐吉的回答，大為讚賞，認定他是一個人才，便將他招募到麾下，成為自己的家臣。佐吉成年後，改名為石田三成，參與了諸多重要戰役，成為豐臣秀吉的心腹，並在秀吉去世後，率領豐臣家與關東的德川家康對抗。

（改寫自日本「三獻茶」故事）

**小試身手** | # 神奇的水翼板

想一想，正確的描述是什麼呢？

- **這個文本在說什麼？**○水翼板運作原理　○熱門的水翼板運動
- **作者為什麼要寫這個文本？**○介紹水翼板的運作　○展現海灘運動的不同
- **這個文本是怎麼寫的？**○記敘文　○論說文　○應用文

如果你熱愛海灘活動，近年來可能有種運動會吸引你的目光：一個衝浪手站在他的衝浪板上乘浪而行，但是仔細一看，浪板卻是「浮在半空中」，絲毫沒有跟水面接觸！這種奇特的衝浪景象越來越普遍，而這塊神奇的板子就是「水翼板」。

水翼板與一般衝浪板的最大差異，當屬其下方那組形狀奇特的「水翼」了。水翼安裝在靠近板子後端的地方，由接座、一根連接的桅桿、機身、前翼與尾翼所組成。接座與桅桿連接衝浪板與水翼機身，而機身的前側有較寬大的前翼，後側則有較短小的尾翼，構成一個「工」字形。

能讓水翼板浮在半空中的祕密正是這一組奇特裝置。如同飛機的機翼一樣，當水翼向前移動，其上下方會出現流速不一的水流；由於上方的水流速度較快，機翼上、下方產生了壓力差，於是便形成了一股由下往上的升力，將整個衝浪板抬高。換言之，當水翼板處於靜止不動的狀態時，機翼便無法維持升力，也就不能神奇的「飛起來」了。

不過，單人飛機或滑翔翼往往需要依靠巨大的機翼才能將一個人送上天空，為什麼小小的水翼卻能讓人在水面上保持升力呢？仔細觀察，便會發現其關鍵在於機翼所處流體的密度。水的密度為每立方公分 1 克，而空氣的密度則約為 0.00129 克／立方公分；這樣巨大的密度差異，就決定了天上的機翼與水中的水翼為何能提供不同的升力了。

安全教育
# 防禦駕駛

最近幾年，防禦駕駛的觀念逐漸普及，究竟什麼是防禦駕駛呢？它和「安全駕駛又有什麼不同呢？」

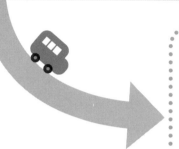

## Q1 什麼是防禦駕駛？

用路人在使用道路時，對於道路、車輛與行人的狀況有「危險意識」，能預測他人可能發生的疏忽或危險行為，採取一些必要措施來避免交通事故的發生。

## Q2 為什麼要防禦駕駛？

道路上的狀況瞬息萬變，及使遵守交通規則的「安全駕駛」也可能發生意外。雖然法律能給予肇事者相應的處分，但是人身財產的損失卻未必能透過法律復原。

## Q3 出發前應該做什麼？

良好的車輛能減少危險，因此不只在行駛中要防禦駕駛，出發前妥善檢查 車輛狀況，例如車胎胎壓是否正常、車紋是否足夠、煞車、車燈是否損壞等，都是防禦駕駛的一環。

## Q5 防禦駕駛還可以做什麼？好的駕駛習慣？

魔鬼藏在細節裡！好的駕駛習慣能增加行車安全，如開車時保持專心、保持良好的駕駛坐姿，以雙手操作方向盤等。另外，多多充實一些 汽車相關知識，也能增加臨場反應力。

## Q4 在路上應該做什麼？

遵守交通規則，並隨時保持警覺，做好他人可能違規的心理準備。例如經過路口時，即使自己的號誌是綠燈，可以通行，但是也要留意是否有闖紅燈的車輛，減低車速，確保自身安全。

## Q6 行人也可以防禦「駕駛」？

不單單是車輛駕駛，只要是用路人都應該將防禦駕駛的觀念運用於用路習慣中。如行人行走斑馬線穿越馬路時，應盡量靠裡側行走，候車時遠離進站車輛等，都能降低危險。

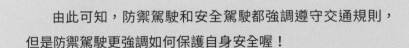

由此可知，防禦駕駛和安全駕駛都強調遵守交通規則，但是防禦駕駛更強調如何保護自身安全喔！

# 動物權是什麼？能吃嗎？

俗話說：「沒吃過豬肉，也看過豬走路。」但殘酷的現實其實是：「我們吃過豬肉，也看過豬走路，但是卻沒看過豬是經過什麼樣的過程，才被做成漢堡肉。」隨著人們保育觀念的增加，我們知道過度捕殺動物對環境與永續生活的危害，也知道可以透過拒絕食用瀕臨絕種的動物來保護地球的生態，所以我們知道應該要拒絕吃鸚哥魚，不只是因為鸚哥魚具有保育珊瑚礁生長的功能，由於人類的濫捕，已經導致鸚哥魚的數量瀕臨絕種；我們同時也知道應該要拒絕吃魚翅料理，因為魚翅是鯊魚的背鰭，許多漁民在捕捉到鯊魚後只把牠們的背鰭砍下來，隨即就將這些失去魚鰭的鯊魚丟入海中，不只相當殘忍，也浪費了漁業資源。

但是，卻很少有人想過：我們日常所吃到的每一口漢堡肉，都是因為一隻豬的死去才有的。如果大部分人無法拒吃動物、成為素食者，那我們似乎必須要思考：如何宰殺動物的方式是比較「人道」呢？於是開始有人提倡「人道宰殺」。

「人道宰殺」的精神，就是減少動物在被宰殺過程時受到的痛苦，最常見的人道屠宰的方式就是「電宰」。以電宰豬肉為例，電宰首先會先把豬隻電暈，讓牠暫時失去知覺，抑制大腦的運作，並在豬隻恢復知覺前切開豬的頸部放血，讓豬隻在短時間內因為缺氧、休克而死亡。而現在臺灣的豬隻屠宰廠都必須要依照《動物保護法》的規定，使用「人道宰殺」的方式進行，因此符合「人道宰殺」過程，同時也經過獸醫確認為是健康的豬隻，就會被印上紅色「屠宰衛生檢查合格」印章。

不過，難道這樣就可以消除豬隻死亡時的痛苦嗎？朱立安 · 巴吉尼（JULIAN BAGGINI）在他的著作《吃的美德：餐桌上的哲學思考》中解釋「人道宰殺」的原理，關鍵在於區別出「痛苦」和「折磨」的差異。經由科學實驗指出，「痛苦」和「折磨」是不同的。前者是我們當下不舒適的感受，只要具備基本中樞神經的動物都感覺得到痛苦。而後者則和生物的「記憶能力」有關。對於痛苦的記憶會變成折磨，當我們在短時間內持續的感受到不舒適，例如一直被針輕輕的扎到，儘管被針輕輕的扎到並沒有多痛，但是這種反覆的過程會讓針扎一次比一次還要更不舒適。因此，動物宰殺過程如果對動物造成持續的折磨，是相當不人道的。這就是為什麼人道宰殺必須要讓動物先失去知覺，同時要縮短宰殺時間的原因。

「人道宰殺」的精神，來自於人們對動物權利的重視，而人們對動物權的重視則是來自於人們對於生命的重視。當人們開始注意到人與人之間應該要平等對待後，人們也開始思考：人類有沒有可能以尊重人類的方式來尊重動物的福利？儘管動物權目前還無法像人權一樣，完全避免動物的生命被剝奪，但是至少可以避免動物因為人類所導致的折磨。這提醒我們：「人道宰殺」只是動物權中的一個很小的部分，其他還包括許多不負責任的飼主棄養寵物，造成市區充斥著大量的流浪動物，最後導致這些流浪動物被安樂死。比起人道宰殺，或許每次決定飼養動物前的計畫與考慮，是「動物權」與我們最切身相關的思考。

**Note**

# 五成臺年輕人手機成癮 港童假日用手機時間翻倍

作者：品學堂

發布日期：2021年10月14日 09:00

隨著科技發展，手機的意義已不僅僅是讓人可以享受聯繫的便利而已，它更是現代人不可或缺的生活必需品，許多生活中的大小事，如打卡換優惠、掃描 QR CODE 等，沒有手機還真的做不到。不過許多人並非真的因為現實需要才脫離不了手機，有時候是一種無意識、無目的、近乎強迫的瀏覽。「手機成癮」已經變成顯而易見的問題，而它對兒童和青少年的危害尤其受到關注。

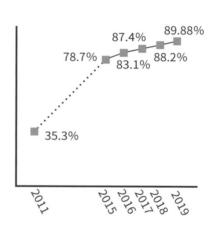

歷年臺灣手機使用手機上網情形

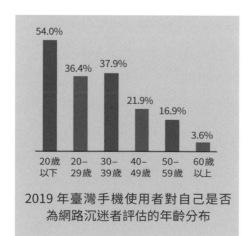

2019 年臺灣手機使用者對自己是否為網路沉迷者評估的年齡分布

根據臺灣國家發展委員會在「108 年持有手機民眾數位機會調查」的報告中指出，臺灣手機使用者使用手機上網的比率持續攀升，已有將近九成的民眾使用手機上網，比電腦使用者以電腦上網的比例更高。調查同時也請受訪者評估自己是否有「網路沉迷」的情況，發現有 27.6% 的手機使用者自認為沉迷於網路，其中二十歲以下年輕人自認為沉迷網路的比例最高。

類似的情況也在香港發生。由香港理工大學、香港教育大學、香港東華學院及澳洲紐卡素大學組成的七人團隊，2019 年於《Cyberpsychology, Behavior, and Social Networking》學術期刊上發表了一份研究報告。報告中指出，香港兒童與青少年每日使用手機的平均時間為 2~3.5 小時，假日的時間明顯多於平日。另一項資訊則透露青少年持有手機的狀況，顯示自 2017 起，香港 15 歲以上的青少年甚至已經幾乎達到「人手一機」，使用手機的時間更是可觀！

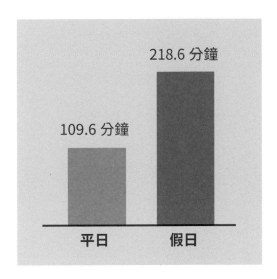

2019 年香港兒童與青少年
平假日使用手機時間比較

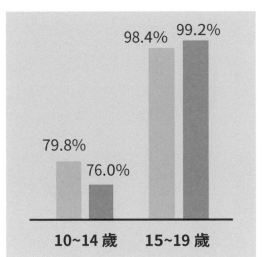

2017 年香港兒童與青少年
持有手機比例與性別的關係

# 04

# 歸納與上位概念

「找出這一段文字的關鍵字！」是閱讀時常碰到的問題，可是
面對密密麻麻的文字，卻不知從何下手嗎？這不是因為你的能
力不足，而是你可能還沒有認識「上位概念」。上位概念是歸
納的結果，而歸類是幾乎所有閱讀過程中都會發生的事。許多
我們耳熟能詳的閱讀招式，包括關鍵字，都是從「歸納」開始
的⋯⋯

# 閱讀的起手式：歸納與上位概念

　　想像一下，如果你的手中有紅色、綠色、藍色幾種不同顏色、長短不一的筆需要分類，你會選用筆的哪一種特徵作為分類依據呢？是利用「顏色」（如紅色、綠色、藍色）來作為依據，還是會以「長度」（如 10 公分以下、10 ～ 15 公分以下、15 公分以上）作為分類依據呢？這種透過找「找出共同點、把不同事物進行區分的方法」，就是「歸納」。

　　除了分類事物會用到「歸納」外，當我們遇到自己不熟悉的事物時，也常常會用自己原有的知識、分類去認識不知道的東西，例如喝到一種全新的飲料，我們可能會說：「它的味道酸酸甜甜的，味道有點濃郁，喝起來好像柳橙汁喔！」我們會將新經驗以好幾種特徵描述分析，找出它與舊經驗的共同點，然後幫它找到類似的經驗，並將其歸類。

　　而「上位概念」則像是歸納的標準，讓我們能找到可歸納的訊息，並用更精鍊的內容表達。像是在前面的筆的分類例子中，「顏色」就是紅色、綠色、藍色的「上位概念」，蘋果、香蕉、芭樂的上位概念是「水果」；而在飲料的例子中，我們透過「柳橙酸酸甜甜的味道」這個「上位概念」，把新飲料跟柳橙汁連結在一起，如果能找到更多符合「像柳橙酸酸甜甜的味道」的飲料，我們就可以製成一份清單，羅列各種有「柳橙酸酸甜甜的味道」的飲料，並說，這張清單上的飲料都符合「柳橙酸酸甜甜的味道」這個「上位概念」。

　　我們閱讀時，也經常使用歸納和上位的概念。我們可以從表面訊息中，找到「關鍵字」，進而整理出文本中的「段落大意」，段落大意便是包含所有關鍵詞的「上位概念」。在「小筠喜歡彈琴、打鼓、吹直笛。」這個句子中，我們可以找到「彈」、「打」、「吹」、「琴」、「鼓」、「直笛」這些關鍵字，

歸納出一個上位概念：「小筠喜歡演奏樂器。」

　　不過，閱讀文本時，也可以先試著從上到下，找出歸納後的上位概念，再透過文本中的訊息去考究這些概念是否正確；就像是「汽車零件」是一個上位概念，透過檢視在這個類別下的事物「後照鏡」、「方向盤」、「輪胎」是否符合「汽車零件」這個歸納標準，就可以看看自己原本的歸納想法是否正確。

　　我們將這個想法延伸到閱讀文章上，假設我們歸納出一篇文章的上位主題概念為：「一篇兄弟做了不同選擇、最後結局不同的故事」。在主題概念下面是各段大意：「第一段講述了故事的起源，第二段講述了踏上旅程的過程，第三段說明兄弟倆遇到的問題和各自的選擇，第四段則寫出兩人的結局。」最後，我們再從段落中尋找訊息，來支持與證明自己歸納標準是否符合作者想要表達的意思。

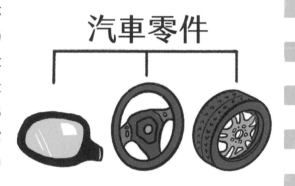

汽車零件

想一想，正確的描述是什麼呢？

· 皮特與老人的共同點何者為非？○紳士 ○貧窮 ○富有

· 試著用一句話，說出故事大意：＿＿＿＿＿＿＿＿＿＿

＿＿＿＿＿＿＿＿＿＿＿＿＿＿＿＿＿＿＿＿＿＿＿＿＿＿

皮特每年的感恩節都會到聯合廣場赴一場約會，今年也不例外。

從皮特的衣著看來，不難發現他是一個食不果腹的流浪漢。不過，不知怎的，今天正好相反。他途經一戶紅磚住宅時，被站在外頭的管家請了進去；據管家轉述，房屋的女主人每年的這一天都會攔下一名飢餓的路人，請他飽餐一頓，這是皮特始料未及的。

他在紅磚住宅心滿意足的吃飽後，決定還是去赴那個一年一次的約會。

他在廣場的長椅上等待著，很快的，那位慈祥的老人出現了。

「你好，」老人說：「很高興又見到你，這讓感恩節更加彰顯了它的意義。我準備請你吃頓飯，讓你的身心都能感到滿足。」

皮特發現老人看起來又比去年老了些，也更瘦了些，不過仍無損他身上的高貴氣質。皮特知道老人沒有任何親人，獨自住在東區的房子裡。春天，他參加遊行；夏天，他在山中的農舍寄宿；秋天，則和皮特吃飯。

雖然肚子的飽脹感讓他昏昏欲睡，但皮特也不打算拒絕老人的邀約，因為他知道這天的飢餓是屬於老人的，只要侵入住宅的法律追訴期還沒過，他就不能拒絕與老人的約定。

皮特看見桌上擺滿盛宴，儘管進到餐館前，他的肚子已經塞得結結實實，但他仍像個紳士般的享用了這頓午餐。

與老人道別後，皮特倒在街角的人行道上，隨即被送到市立醫院。

沒多久，另一輛救護車也將那位老人送進醫院了。

一陣忙碌之後，皮特聽到醫生小聲的對護士說：「你知道嗎？那個穿著體面的老人幾乎要餓死了。大概是落魄的名門世家吧，他說，他已經三天沒吃東西了。」

（改寫自歐‧亨利〈兩位感恩節的紳士〉）

小試身手 | **暗澳山傳說**

想一想，正確的描述是什麼呢？

- **這個文本在說什麼？** ○暗澳山傳說可能是假的
  ○暗澳山有鬼　○暗澳山真實存在
- **找出可以說明這篇文章的三個關鍵字？** _____

臺灣的文化多元，信仰自由，催生了許多民間傳說，在神魔、妖怪、異獸、奇人等奇聞故事中，有不少有如百慕達三角洲那樣神祕的區域，其中最有名的非「暗澳山」莫屬。

　　關於暗澳山的紀錄，最早見於清朝黃叔璥的《臺海使槎錄》。傳說中，暗澳山是位於臺灣本島東北部外海的一個島嶼，島上種滿各種奇花異卉，景色怡人。不過這樣一座島卻有奇怪的天候：每年只會有一次日升日落，日升與日落時間都長達半年之久。每當長達半年的夜晚降臨，島上的鬼物就會現身。

　　根據 1921 年片岡巖在《臺灣風俗誌》中的記載，暗澳山曾經發生集體失蹤的事件。當時，有荷蘭船隻在「白天」時間經過暗澳山，覺得該島適宜居住，因此派了 200 名原住民水手駐紮。然而，當船隊隔年再度來到此地時，卻發現四周一片漆黑，點起火把四處搜尋後，才在先前駐紮的水手留下的石碑上得知此地氣候的真相。奇怪的是，那 200 名水手則不知所蹤。

　　根據現代的研究，暗澳山傳說可能源於荷蘭巴倫支船長於 1596 年 5 月往北極航行時的見聞。在巴倫支船長的日誌中，他的船隊曾在亞泥俺海峽附近經歷永夜。船隊觀察島嶼因北大西洋暖流經過而產生的豐富生態，他們也曾受困一年、遭受北極熊攻擊，船員更曾在臨時搭建的避難屋中寫下經歷等事件，這些故事與現在的暗澳傳說有許多相似之處，因此暗澳山傳說也被認為是荷蘭人將這些船隊歷險的經歷傳入亞洲後，訛傳之下誕生的。

# 對話裡的偏見

下課鐘聲響起，四年十班的教室外面出現了一位年約三十歲的女士，她的皮膚顏色比起在教室裡的學生稍微再深一點，臉的輪廓也比較深邃。導師何老師走到門口向這位陌生女士打招呼，講完話以後，他的手上就多了一個便當盒。

「羽綸，你的家人送便當給你，還不趕快來拿？」羽綸和他的朋友們聊天聊得正開心，聽到老師呼喚，好像捨不得離開一樣，一直頻頻回頭和他的朋友們繼續鬥嘴。

羽綸拿完便當回來，其中一位同學浩翔劈頭就問他：「羽綸！那個人是誰啊？你媽媽嗎？為什麼長得跟你一點都不像？」

「你不要亂說，她是我們家的傭人。」羽綸白了浩翔一眼。

「我家裡都不請幫傭，你們家請她要幹麼啊？」浩翔剛挖了一大口飯，滿口食物、口齒不清的急著問。

羽綸邊打開便當盒邊說：「就是幫我們打掃家裡、洗衣服，還有做飯，有時候還會帶我小一的弟弟做功課。我爸跟我說：『原本這些東西都是你媽媽該做的，但她工作太忙了，我們只好請幫傭來打掃，不然家裡快亂到像是狗窩一樣了，我都不敢帶我朋友來我家了。』……噁，四季豆超噁心，我不是有跟她說不要放四季豆嗎？」

「哇！羽綸，你們家的幫傭會送便當喔！也太好了吧？」坐在隔壁的純亨，家裡也有請外籍看護，聽到羽倫和浩翔的話題就忍不住插了嘴：「我們家的幫傭真的很難用耶，我媽要她趁阿公阿嬤午睡的時候幫她送便當，她竟然回我媽說，這不是她的工作，後來他們兩個大吵一架，我媽差點把她開除。」

「你們家的傭人不幫忙做家事，請她們是要幹麼？」浩翔笑著說。

「我媽聘請她，是要她幫忙照顧我阿公阿嬤，不都是傭人嗎？不就是叫她幹麼她就要幹麼嗎？」純亨邊說邊露出嫌棄的表情。

「那她有奇怪的習慣嗎？我們家的傭人說她不吃豬肉，害我們家每次都要幫她多煮一份，而且我媽最近更是不太煮豬肉料理，害我最近都吃不到最愛的漢堡肉了。」

純亨聽到羽綸的回答，話匣子突然像是被打開，很激動的說：「有有有，我們家的幫傭她在吃飯之前會在胸前畫十字禱告，每次我爸和我媽都要等到她禱告完才會開始吃。他們很不合群耶，不禱告會怎麼樣嗎？」

「啊！你不知道我家的幫傭超恐怖的！」羽綸突然大叫：「她平常會綁頭巾，看起來超像小偷！上個禮拜我有一本漫畫不見，我就在猜是不是她偷偷拿走的。」

「為什麼她要綁頭巾啊？」浩翔越聽越好奇。

「聽說跟她們的宗教信仰有關。但你現在看電視上的外國人還有誰在戴頭巾？這種奇怪的宗教也太過時了吧……」

羽綸話還沒說完，浩翔突然看到語屏，叫住了他：「嘿！你們原住民不是很會唱歌嗎？下個月的歌唱比賽就你負責了。」

「什麼？她是原住民？原住民皮膚不都黑黑的嗎？你的皮膚那麼白，怎麼可能是原住民？」純亨好像發現什麼祕密似的，刻意很大聲的說，想讓全班都能聽到。

「欸，我突然發現你們原住民跟我們家傭人長得好像喔，皮膚都看起來髒髒的。」純亨說完後，三個人爆出一陣笑聲，語屏站在原地尷尬得說不出半句話。

**Note**

# 生涯彩虹圖

向大師學習
做人生的主人

許多人都認同生涯規劃的重要性，但在缺少方法的情況下，對未來的想像往往淪為漫無目的、天馬行空的胡思亂想。不要著急，今天我們要來介紹由著名職涯規劃大師唐納・蘇伯所設計的工具——生涯彩虹圖，快來跟著大師學習掌握人生！

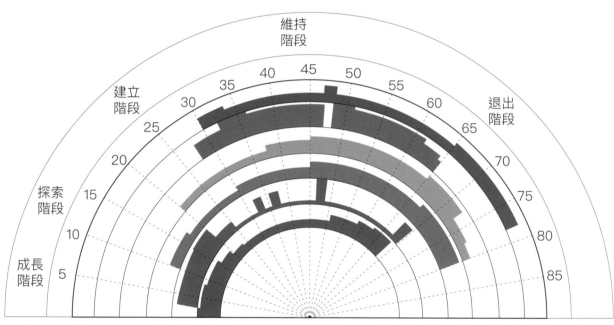

角色是生涯彩虹圖的核心，可以由使用者自己定義，例如這個人為自己的人生定位了六種角色：子女、學生、休閒者、公民、工作者、持家者。每一個角色會在不同的人生階段和年齡出現。填色的面積代表在這個年齡階段，這個角色在生命中的比重。例如這個人在約28歲時開始工作，33歲時來到第一個事業巔峰，46歲時中斷工作，轉回學生，約48歲時又重拾工作。可以看出圖表中「學生」角色與「工作者」角色的填色面積有明顯的差別和關係。

# 試著為你的人生彩虹
# 上色吧！

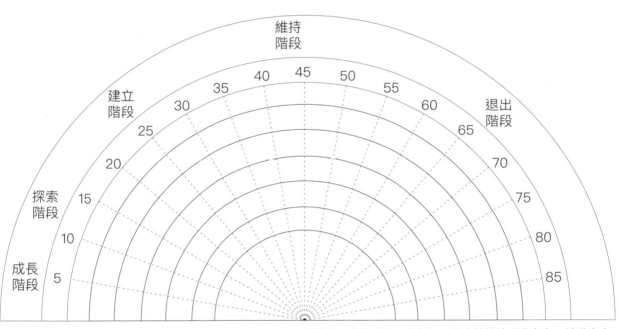

維持
階段

建立
階段

探索
階段

成長
階段

退出
階段

生命階段　年齡

40　45　50
35　　　　　55
30　　　　　　　60
25　　　　　　　　65
20　　　　　　　　　70
15　　　　　　　　　75
10　　　　　　　　　80
5　　　　　　　　　85

1. 想一想：你目前的人生中扮演過哪些角色？未來想扮演哪些角色？這些角色
   的定義分別是什麼？
2. 依據出場的順序，將這些角色從最內圈開始向外填寫。
3. 可以思考一些問題：角色之間有什麼關係？你最想扮演好哪個角色？
4. 根據你的想法，為每個階段的角色塗上顏色。

想知道你的彩虹圖有什麼改進空間嗎？
請撥打（02）23778111 或上網搜尋
「有品人生」獲取更多精采課程資訊

# 認識臺灣原住民族的命名方式

混合文本

你是否曾經想過自己名字的由來？為什麼不同語言中，名字的順序會不一樣？不管你喜不喜歡自己的名字，每一個名字都代表了獨一無二的人，而不同的命名方式也傳達了族群的價值觀，代表獨特的文化。

漢人是臺灣的多數族群，漢人的名字是由「姓」和「名」兩個部分組成的。多數人的「姓氏」都來自於父親，代表著漢人社會認為：子女是父親的繼承人，而非母親的繼承人。取名的規則背後，反映了父系社會的思想。

比漢人更早在臺灣生活、文化上與漢人有所差異的原住民族，命名邏輯也與漢人大不相同。這些命名方式代表著珍貴的文化觀點，值得我們認識與重視。

原住民族最常見的命名方式有下列四種：

## 一、親子連名制

親子連名制的名字是「個人名＋父母的名字」。可分為孩子的部分名字是繼承父親的「父子連名制」，以泰雅族、賽夏族、鄒族為代表；也有以孩子的部分名字是繼承母親的「母子連名制」，以阿美族為代表。以泰雅作家瓦歷斯・諾幹為例，他的個人名是「瓦歷斯」，「諾幹」則是繼承父親的名字；而瓦歷斯・諾幹的兒子威暑・瓦歷斯和威海・瓦歷斯也根據這個規則，繼承了他的名字。

## 二、親從子名制

親從子名制的族群，一個人的名字會隨著孩子出生而更換。以達悟族為例，出生至未有子女之前，命名方式為「Si ＋個人名」，等到第一個孩子出生時，他的名字就會變成「Syaman ＋長子名」，母親是「Si nan（希南）＋長子名」。所以知名達悟族作家夏曼藍波安（Syaman Rapongan）的名字，就是「藍波安的父親」的意思。等到成為祖父時，又改稱為「Si apen（夏本）＋長孫名」，意為某某人之祖父（母），所以達悟族人一生可能會更換兩次名字。

| 阿美族 | 泰雅族 | 排灣族 | 布農族 |
|---|---|---|---|
| 個人名 + 親名<br>個人名 + 親名 + 氏族名 | 個人名 + 親名 | 個人名 + 家屋名 | 個人名 + 氏族名<br>個人名 + 家族名 + 氏族名 |

| 卑南族 | 魯凱族 | 鄒 族 | 賽夏族 |
|---|---|---|---|
| 個人名 + 家屋名 | 個人名 + 家屋名 | 個人名 + 氏族名 | 個人名 + 親名 + 氏族名 |

| 達悟族 | 邵 族 | 噶瑪蘭 | 太魯閣族 |
|---|---|---|---|
| Si+ 個人名（未有子女者）<br>Si aman+ 長嗣名（長嗣之父）<br>Si nan+ 長嗣名（長嗣之母）<br>Si apen+ 長嗣名（長嗣之祖父母） | 個人名 + 氏名 | 個人名 + 親名 | 個人名 + 親名 |

| 撒奇萊雅 | 賽德克族 | 拉阿魯哇 | 卡那卡那富 |
|---|---|---|---|
| 個人名 + 親名 + 氏族名 | 個人名 + 親名 | 個人名 + 氏族名 | 個人名 + 氏族名 |

表一：臺灣原住民命名規則（僅列出大部分狀況，可能有少數例外）

（資料來源：教育部）

## 三、親子連家屋名制

　　排灣族和魯凱族名的命名規則為「家屋名＋個人名」，家屋名有的放前面，有的放後面。以排灣族為例，第一個出生的孩子可以繼承家屋，所以能保留原本的家屋名，其餘的子女則需創造新家，取新的家屋名，名字也會隨著更動；魯凱族則是長男可以繼承家屋。以排灣族名作家亞隆榮 · 撒可努（Sakinu Yalonglong）為例，他的名字就代表著他來自於那間叫做「亞隆榮（Yalonglong）」的屋子，個人名的則是會依照階級與性別，選擇適合的名字。

　　不過，卑南族的族人和排灣族及魯凱族不同，他們分出新家後，仍能使用舊家的家名，名字多數會沿用祖父母的名字。

## 四、氏族名制

　　以鄒族、卡那卡那富族、拉阿魯哇族、邵族為代表，這幾個原住民族是由一個又一個氏族組合而成，每個氏族都有自己的氏族名，這些族群的命名規則為「個人名＋氏族名」。布農族則是除了氏族名外，還會加上家族名。

2017~2018 年
原住民恢復姓名登記總數與比例

保留漢名，
但以羅馬拼音
並列族名
**25,006**人

放棄漢名，
改用漢字音譯
族名
**3,700**人

直接以
漢字音譯族名
申報出生登記
**565**人

總計 **29,711** 人（占原住民總數 5.25%）

恢復族名後，又改回漢名者：465 人

不過，現今多數的原住民族使用的是漢名，那是因為國民政府於 1946 年公布《修正臺灣省人民回復原有姓名辦法》，強制給沒有漢名的原住民取一個姓名。這樣的政策不僅導致原住民族出現同一個家族卻有不同漢姓的現象，也破壞了不同部族各自的社會文化。

　　在原住民立委、學生團體、社運和非營利組織的努力下，現在的原住民已經可以在身分證上用漢字或是漢字配上羅馬拼音來表示自己的族名，然而願意登記的原住民仍然是少數。除了對於自己的族名不熟悉擔心誤用或取錯，主要原因還有：（一）身分證姓名登記有字數限制，有些原住民的名字登記不下、（二）目前仍無法以單獨以族語來登記，漢字和羅馬拼音無法精確表現不同族語的發音。由此可見，落實多元文化的尊重，臺灣還有一段路要走。

# 05

# 整理訊息的方法

如果家裡的物品、衣物、文具雜亂，你會想使用什麼工具整理呢？是全部丟進大袋子，還是分類收拾好，再放入櫃子或箱子中，要使用時便能一目了然呢？閱讀文本所觀察到的眾多訊息和思考的內容就像雜亂的衣物一樣，需要好好整理，就能幫助我們更快了解文章的內容。

其中，最簡單的整理工具便是「表格」。不過，究竟表格要怎麼畫？又要怎麼決定分類的項目呢？

# 必須學習的整理基本功：表格

　　整理過後的訊息，經過歸納和提取上位後，可以應用表格來整理訊息。表格不僅能幫助我們記錄思考的歷程，更可以快速的比對不同的訊息。

　　一張表格通常會由三個部分組成：標題列、側邊欄和中央表格的分析內容。其中標題列和側邊欄中的內容為上位概念，中央表格的內容則為訊息。

　　中央表格中每一直行格子中的訊息都會具備一個共同點，這個共同點就是上方標題列對應格子的中的概念。像是下表中，綠色虛線框中的 91、81、96 都是「國語考試的分數」，而橘色底的 91、92、93、94、95 則都是「小昆的考試成績」。

|  | 國語 | 英文 | 數學 | 自然 | 社會 |
|---|---|---|---|---|---|
| 小昆 | 91 | 92 | 93 | 94 | 95 |
| 小志 | 81 | 82 | 83 | 94 | 85 |
| 小麗 | 96 | 97 | 98 | 99 | 100 |

　　不過，你有沒有發現在表格第一列「國語、英文、數學、自然和社會」及第一欄「小昆、小志、小麗」，也能再提出一個上位概念？國語、英文、數學、自然和社會的上位概念是「科目」，而小昆、小志、小麗則是「姓名」。

在閱讀時，表格能讓我們有效率的整理文本的訊息。例如下面〈三隻小豬〉的故事整理。我們以「故事的元素」和「故事的階段」作為分析角度，然後找出大意、人物、事件以及開頭、三次衝突等上位概念，就能把故事中的訊息依照它們的屬性放到相對應的格子裡囉！

|  | — 故事元素 — | | |
| --- | --- | --- | --- |
|  | 大意 | 人物 | 事件 |
| 開頭 | 說明三隻小豬的個性和蓋的房子 | 豬大哥、豬二哥、豬小弟 | 三隻小豬分別離開原本的家，用不同材料蓋了不同的房子 |
| 第一次衝突 | 大野狼抓豬大哥 | 豬大哥、大野狼 | 豬大哥的茅草房子被大野狼吹倒，豬大哥逃跑 |
| 第二次衝突 | 大野狼抓豬二哥 | 豬大哥、豬二哥、大野狼 | 豬二哥的木頭房子被大野狼推倒，豬二哥逃跑 |
| 第三次衝突 | 大野狼抓豬小弟，結果掉到鍋子裡 | 豬大哥、豬二哥、豬小弟、大野狼 | 大野狼無法破壞豬小弟的磚造房子，想從煙囪進入，結果掉到鍋子裡被煮熟 |

（故事階段）

看完這些例子，是不是很想趕快試試看用表格來分析文本呢？

表格有很多種變化，你可以根據文本的特性和自己的想法調整。不過也要提醒各位，表格是一種簡化工具，並非理解的全部，所以千萬不要拿著分析的表格，說「這就是這篇文本」喔！

找一找以下訊息，並試著寫出來。

- **找出這篇文章的資訊：人物_____ 事件_____ 時間_____**
- **這個文本想要表達什麼？○妻子要懼怕丈夫 ○瓦莉婭新婚生活 ○瓦莉婭的丈夫想要警告妻子**

---

瓦莉婭與丈夫從教堂乘著馬車回到家裡，他們剛舉行完婚禮。

「喂，瓦莉婭，」他的丈夫忽然對妻子說：「抓住我的鬍子，用力的拉吧！」

「你又在打什麼鬼主意？我才不上當呢！」面對這無理的要求，瓦莉婭不禁失笑。

「不，不，拜託啦！我求求你！抓住，用力拉，別客氣！」

「算了吧，你這是何苦呢？」

「瓦莉婭，算我求求你吧，……要是你愛我，就抓住我的鬍子用力拉……這是我的鬍子，拉吧！」丈夫真誠的懇求道。

「說什麼也不行！這太讓人痛苦了，我太愛你了，勝過愛自己的生命……不，我永遠也不要這麼做！」瓦莉婭的態度仍然堅決。

「我求求你……」新婚的丈夫有點生氣了：「你聽明白了嗎？我要求你，而且……我命令你！」

最後，經過一段長時間的爭執，大惑不解的瓦莉婭終於把小手伸向丈夫的鬍子，然後使出全身的力氣拉扯了一下，丈夫絲毫沒有皺一下眉頭。

「你看，我可是一點也不痛！」他說：「真的，不痛！好了，你等一等，現在該我來拉你的了。」

丈夫抓住瓦莉婭鬢角上的幾根頭髮，使勁扯下來。瓦莉婭大聲尖叫。

「我的親愛的，」丈夫總結說：「現在，你要知道，我比你強壯許多倍，比你有耐力。從今以後，一旦你揮起拳頭想要打我，或者揚言要挖出我的眼珠的時候，你必須記住這一點，總而言之，一句話：妻子要懼怕丈夫！」

（改寫自契訶夫〈必要的前奏〉）

找一找以下訊息，並試著寫出來。

- **找出這篇文章的資訊：地點＿＿＿＿事件＿＿＿＿時間＿＿＿＿**
- **根據文章內容，魯汶大學曾遭受哪幾次戰火與事件波及：**

  ＿＿＿＿＿＿＿＿＿　、　＿＿＿＿＿＿＿＿＿　、　＿＿＿＿＿＿＿＿＿

---

魯汶（Leuven）位於比利時，鄰近首都布魯塞爾，是全國第九大城市之一，以悠久的城市歷史、獨特的教育文化和美味的啤酒聞名。

魯汶有著全世界現存最古老的天主教大學──天主教魯汶大學。該校最早於 1425 年由教宗馬丁五世下令建立，文藝復興時期著名的人文學者伊拉斯謨以及被稱為現代解剖學之父的維薩里都曾在此校任教，地圖學者麥卡托也是該校的校友。

不過，魯汶大學並非未經任何波折。由於比利時位於兵家必爭之地的歐洲低地，深受戰火與政治的影響，先後更經歷西班牙帝國、奧地利、法蘭西帝國、荷蘭王國以及德意志帝國和納粹德國的統治。

在歷史的動盪中，魯汶大學難逃其害，其中尼德蘭宗教戰爭、兩次世界大戰都曾對這所學府造成衝擊。尤其兩次世界大戰時，魯汶大學的圖書館二度被焚，九十萬卷藏書最終只剩下 1 萬 5 千卷，損失慘重。到了 1968 年，又爆發荷蘭語與法語人士的衝突，導致學校分裂為兩個校部──位於魯汶的「荷語魯汶」和遷至奧蒂尼－新魯汶的「法語魯汶」。

今日的魯汶大學仍是歐洲頂尖、世界一流的大學之一，根據 2020 年泰晤士高等教育世界大學排名，魯汶大學在 1,400 多所大學中排名 45 位。魯汶是名副其實的大學城，城市人口中有約一半是學生，魯汶大學的學院建築則分布在魯汶城中，與城市融為一體。

索比躺在麥迪遜廣場的長凳上輾轉反側。

有一片枯葉落在他的大腿上──這是一張冬神的卡片，告訴人們祂即將到來的訊息。

索比意識到自己必須做出決定。他不奢求能夠暢遊地中海，只希望能在布萊克韋爾島待上三個月。在這三個月中，他有飯吃、有床睡，還有志趣相投的人為伴，而且不受北風和警察的打擾。

雖然許多慈善機構能夠救濟他，但多年來，索比最喜歡的還是那座島上的監獄。對索比這樣高傲的人而言，雖然從這些機構接受好處不用付錢，卻會受到精神的屈辱，例如他得先被人押去洗澡，或者要先清楚說明個人資料，才能獲得協助。相比之下，雖然法律鐵面無私，但至少不會干涉個人的私事。

索比立刻安排計畫。他想著要去一間豪華餐廳大吃一頓，然後不付餐費，這樣就能順理成章的被警察逮捕。

他往百老匯大街前進。他對自己頗有信心，他刮了鬍子，身穿馬甲，上衣也夠氣派，還特別打上整潔的黑領結。只要他能抵達餐桌，計畫就成功了，索比想著，待會兒要來隻烤鴨，一瓶酒，最後以乾酪搭配一小杯咖啡和一支雪茄……

沒想到，索比才剛踏入餐廳門內，領班侍者便注意到他那條舊褲子和破皮鞋。於是，一雙有力的手迅速的將他推回街上。

索比只能轉身前往第六大街，那裡有精美的商品展示櫥窗。他用石頭砸破了櫥窗玻璃。沒多久，一群巡警急奔而來，索比卻待在原地，一動也不動。警察氣急敗壞的問：「你看到肇事的傢伙往哪跑了嗎？」

索比友善又帶點嘲諷的回答：「你不覺得這件事與我有關嗎？」

沒想到，警察根本沒有把他當成嫌犯，因為嫌犯不可能留在現場與警察閒話家常。這時，不遠處有人正追趕著一輛車，警察便急忙的追上去。

索比只好再次遊蕩街頭。

接著，索比看到一名男士將一把綢傘靠在雪茄店的門邊，進入店裡。於是他走了過去，拿著那把綢傘進店裡晃了一圈，再漫不經心的離開，這名男士追了出來，大聲喝道：「這是我的傘！」

索比冷笑說：「沒錯，你的傘！要不要報警呢？快，轉角處就站著一名警察呢！」

那位男士放慢了腳步。

索比預感命運會再一次和他作對。轉角的警察正好奇的瞧著他們。

男士說：「噢，這只是一場誤會。我只是早上在餐廳撿的⋯⋯要是這傘是你的，希望你別⋯⋯」

「這當然是我的！」索比惡狠狠的說。

索比回到麥迪遜廣場，那是他唯一的棲身之所。突然，一陣音樂聲吸引了他。幽靜轉角處座落著一間教堂，玻璃窗映射出柔和的燈光。悅耳的樂聲，正是風琴師在練習星期天的讚美詩。

夜空高掛著月亮，空氣中有靜穆光輝。索比的心弦被讚美詩撥動了。在他擁有母愛、抱負、朋友，以及純潔的思想和潔白衣領的時候，他曾是非常熟悉讚美詩的。

索比的靈魂突然出現神奇的改變，他驚恐的發現自己已經墜入了深淵：墮落的歲月、可恥的欲念、悲觀失望、動機卑鄙──這一切構成了他全部的生活。

瞬間，一股強烈的感受鼓舞他去面對坎坷的人生。他要改變現況，他要征服駕馭自己的惡魔。他還年輕，可以再拾起當年的雄心壯志。管風琴莊重美麗的樂音在他的內心引起了一場革命。明天，他要去商業區找份工作，有位皮貨進口商曾邀請他當司機，明天找到他，接下這份差事。他要⋯⋯

索比突然感覺有人抓住他的手。他迅速的撇過頭來，只見一位圓臉警察。

警察問：「你在這裡做什麼？」

「沒什麼。」

「那就跟我來。」

第二天早晨，法官對著索比宣判：布萊克韋爾島，三個月。

（改寫自歐・亨利同名作品）

能源教育

# 節能建築

臺灣夏季燠熱多溼，家庭和公司的空調使用需求增加，這些電器產生大量的碳排放，是全球暖化的元凶之一。除了開發綠色能源，或許我們能從建築設計著手來達到節能減碳的目的。

我們也可以借鏡國外，像是德國從 1990 年開始試驗被動式建築（Passive House），著重於控制能源消耗及居住舒適度。被動式建築並非指全然沒有主動的耗能，而是透過設計，並配合當地氣候條件，將能源的投入極小化。這套節能建築指標規範房屋在模擬每天 24 小時有人在家的情況下，須達到每年能耗低於 120 度／每平方公尺、室內溫度在夏季時維持 25 度以下，冬季時維持 20 度以上、室內空氣流通，二氧化碳維持在 1000ppm 以下，溼度在 33 至 55% 之間。

設計師可以透過幾個策略達到以上提及的目標：

## A 善用基地地形，找出最佳座向

我們可以觀察基地地形、鄰邊建築與植被，找出自然風風向與日照角度，以利設計建築物的通風路徑及採光。一般來說，北半球的陽光從南面而來，而東西側的光入射角度較低，會讓房屋內部的溫度快速上升。建築物開口可以從北方引入穩定的自然光，或對著夏季季風的方向，使夏季通風不溼熱。

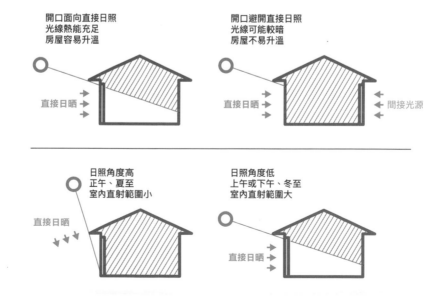

## B 適宜開口大小，增加隔熱效率

　　雖然大面積的窗口設計有利採光及通風，但窗玻璃的隔熱效果較牆體小，室內容易受外部冷熱變化影響，驅使人們打開家電調節居室溫度。因此一般住宅適宜的開口率（開口部面積／實牆面積）以不超過 30% 為佳，辦公大樓則以不超過 40% 為佳。

　　好的開口隔熱設計通常能隔絕 50% 以上的日射熱量進入室內。諸如裝設百葉窗簾、深凹窗、設置陽臺、為玻璃鍍抗輻射鍍膜、使用雙層玻璃（中間灌注導熱性差的惰性氣體——氬）等，都是常見的隔熱方法。除此之外，一些開口設計則利用空氣對流原理調節溫度，如堆棧通風（stack ventilation）的設計，在一側屋頂設置通風口讓屋內較輕的熱空氣順利排出，而另一側的底部則設置通風口讓新鮮空氣進入。

## C 選擇隔熱材質，隔熱同時散熱

　　屋頂及外牆的隔熱和使用材料的太陽反射率（Solar Reflectance Index，SRI）、導熱係數 U 值（W/m.K）息息相關。材料顏色越深其 SRI 值越低，越容易吸熱。U 值越低，隔熱性能越好，以臺灣氣候條件來看，U 值最好在 0.6 以下才能有良好的隔熱節能效果。

　　另外，在屋頂栽種植被、使用攀藤植物覆蓋外牆也是很好的隔熱方式。除了栽種植物當作隔熱層，植物的蒸散作用使水分由下而上運送，至氣孔蒸散出去，能夠有效降低周圍環境溫度。在屋頂栽種植被時，須使用輕量化土壤減輕樓板載重負擔，並鋪設防水布、防根布等。

　　藉由考量建築地形先天條件，配合設計及選用相應的建築材料，相信這些有效的建築技術運用能讓我們朝著節能減碳綠建築環境邁進！

下文是品學堂網站工程師針對網站某功能所設計的網頁流程圖，想一想，它的功能是什麼，可以用一句話描述它嗎？

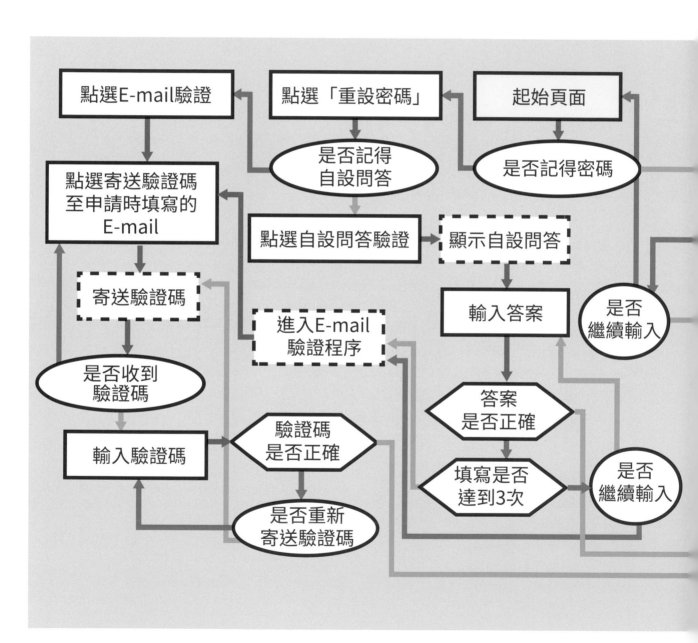

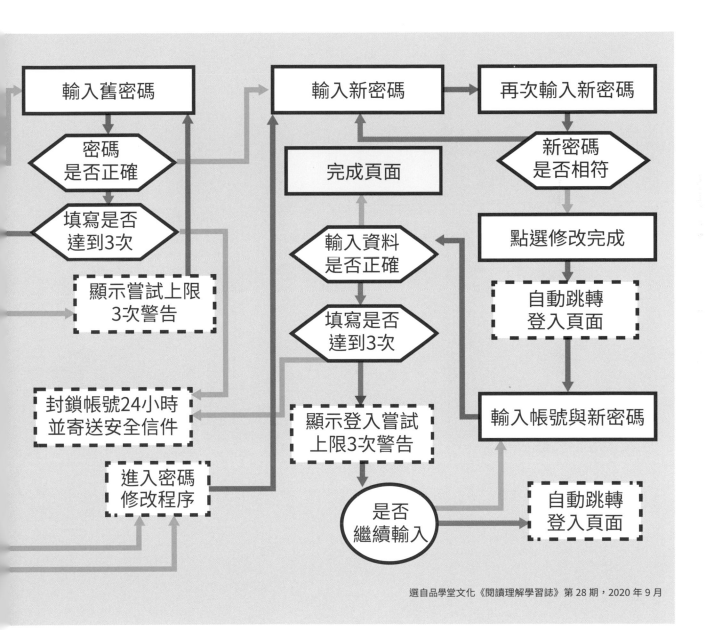

**Note**

# 06

# 事實與觀點

文本中的訊息這麼多，哪些是真的發生的、哪些又是作者自己主觀的想法呢？只要有照片或是新聞報導就是真實的嗎？還是有身分地位的人說的話就是真實的？區分「事實」與「觀點」是理解文本的重要工作，但是有沒有什麼或檢核方法，可以幫助我們分辨哪些是事實，哪些又是觀點呢？

# 事實與觀點，傻傻分不清楚？

　　幾乎所有的文本都有寫作目的，作者必須排列大量的訊息，最後整理、書寫成文本。不過，並不是所有的訊息都是客觀的「事實」，有些可能是作者內心思考的、帶有主觀意識或好惡的「觀點」，也可能只是反映作者個人的價值觀、情緒。閱讀時如果不分清楚，可能會被文本誤導，最後得到偏頗的理解結果喔！

　　或許，我們可以先從「文本的形式」進行初步的觀察。

　　如果是像百科全書這樣，以「介紹知識為主要目的」的文本，其內容就會有比較多的可以被客觀驗證或證明的「事實」，例如「地球是圓的」、「一年是 365 天」、「美國的第一位總統是喬治・華盛頓」等，這種文本的主要目的是「向讀者傳授知識」，所以加入太多作者個人的喜好和判斷沒有幫助。

　　如果是抒情文或是詩句、故事，那麼就可能會有較多的作者觀點，或是情感抒發。

　　不過有些文本無法輕易被判斷，例如兩位同學吵架，A 說：「是 B 先罵我的，他從以前就看我不順眼。」B 則說：「A 喜歡捉弄同學，大家都很討厭他！」如果我們把 A 和 B 的話都視為文本，就可以發現這兩個文本的目的，

都是為了要「在老師面前證明自己是對的」，所以他們說的話很有可能不是客觀的事實，而是為了捍衛自己而說出的觀點。

分辨事實或觀點對於正確理解文本是至關重要的，有幾個小訣竅可以分享給大家：

第一、先釐清這個文本的目的是什麼，這可以幫助我們更快速的找出可疑的地方。

第二、注意「全部」、「都是」這種過於絕對的用詞。

第三，廣泛搜集資訊！

不過，隨著電子媒體的發展，資訊傳達的速度與方便性，我們會接觸到各種「文本」，舉凡社交軟體收到的各種文字或是圖像訊息、社群平臺上的貼文，甚至是網路影片，都包含各式各樣的訊息，其中也不乏有各種事實或觀點內容，建議在接觸到這些文本時，可以好好的觀察與反思，並小心求證，當我們知道越多，學會分辨事實與觀點，避免把別人的看法當成事實並相信它，也就越不會被文本迷惑了！

## 小試身手　李斯上書秦王

讀一讀，並試著找出正確答案。

- 下列何者不是李斯的觀點：○重用外國人並非好事
  ○驅逐外國人才不是好事　○修建大型水渠是正確的
- 下列何者為事實？○張儀協助秦國連橫計謀
  ○李斯認為自己是人才　○貴族認為外國人可以幫助國家

---

中國戰國時代晚期，秦國的國力強大，展現了統一天下的野心，開始向周圍的國家進攻，首當其衝的就是秦國東邊的韓國。韓國上下商量對策之後，決定派出水利工程師鄭國前往秦國，說服秦國修建大型水渠來灌溉農地，藉此消耗秦國國力，解除韓國迫在眉睫的壓力。

不過這件事最終被秦王嬴政發現了，秦王大為震怒。秦國的貴族宗室逮住機會，建議秦王驅逐國內所有的非本國人，表面上他們是保護國家安全，但實際上也為了維護自己的利益。

在這批被驅逐者的名單中，也包含了後來擔任秦國宰相的李斯。李斯本是楚國人，因為看到楚國國勢衰弱，才來到秦國尋求一展長才的機會。

聽到秦王逐客的消息，李斯立刻寫了一封信上書秦王，這封奏書中指出：過去秦穆公依靠廣納各地的人才，稱霸西戎；秦孝公重用衛國出身的商鞅實施變法，讓秦國躋身天下強國之列；秦惠王聽從魏國出身的張儀的連橫之計，成功分化六國實力；秦昭王任用魏國出身的范睢主政，蠶食諸侯，為秦國稱霸天下鋪平道路。這些都是重用外國人才對秦國的好處。李斯並告訴秦王，如果非秦國出產的就是不好的，那麼應該也要丟棄來自國外的珍寶、禁止國外傳入的音樂。最後他告訴秦王：驅逐外國人才，只會壯大敵國、損害秦國。

秦王讀完這封上書之後，大為嘆服，於是收回了成命，並將李斯官提拔為廷尉，對其加以重用。

（改寫自選自漢・司馬遷《史記》）

84

## 小試身手 MOBA，獨樂樂不如眾樂樂

讀一讀，並試著找出正確答案。

- 下列何者為事實？○ MOBA 是一種電子遊戲類型
  ○每個玩家的任務都不一樣 ○ MOBA 很有趣
- 下列何者為作者的觀點：○ MOBA 深受玩家喜愛
  ○《離子戰機》是 MOBA 遊戲發展高峰 ○競速遊戲比較有趣

多人線上戰鬥競技場遊戲（MOBA，multiplayer online battle arena）是一種電子遊戲類型，從 2009 發布的《英雄聯盟》遊戲（英語：League of Legends，簡稱 LoL），到近年來在華人世界掀起旋風的《王者榮耀》，都屬於這種遊戲類型。

MOBA 的基本機制是將玩家分成兩隊（常見為每隊五人），每位玩家能控制一名遊戲角色（通常稱為「英雄」），配合電腦部隊攻打敵方陣地，以打垮敵方堡壘為目的。玩家所操控的「英雄」有不同特性，有的擅長近距離打擊、承受傷害，有的擅長大範圍的魔法攻擊，有的則是輔助、偵查的定位。透過不同的隊伍搭配，可以創造不同的戰略和遊戲樂趣。

1989 年的《離子戰機》可以視為 MOBA 的濫觴，該作品首次讓玩家操縱單個單位互相對抗。不過，真正啟發現在 MOBA 風潮的當屬「暴雪公司」在 2002 年所推出的《魔獸爭霸 3》系列遊戲。作為一款極為成功的即時戰略遊戲，《魔獸爭霸 3》提供了功能強大的地圖編輯器供玩家自行創建地圖，影響深遠的自定義地圖「DotA：Allstars」就是在這個時候誕生的。DotA 的成功不只造就了《魔獸爭霸 3》上各種 MOBA 地圖百家爭鳴的盛況，也直接催生了《英雄聯盟》遊戲。

MOBA 遊戲集合了角色養成、即時戰略、團隊合作等經典遊戲元素，深受玩家喜愛；加上其競技性與觀賞性十足，非常適合做為電子競技項目。如今，MOBA 儼然已經成為電競中的主流項目，與競速遊戲、第一人稱射擊遊戲、即時戰略遊戲等傳統競技項目一樣受到玩家的關注。

# 社群媒體之戰！
# 我們是用戶還是商品？

連續文本

知名串流平臺 Netflix 在 2020 年 9 月時，推出一部備受討論的紀錄片《智能社會：進退兩難》，這部影片以聳動的口號：「你沒有花錢買產品，那你自己就是產品」來指控大型的跨國網路企業如 Google、Facebook、Twitter、Instagram 等，以令人成癮的產品設計博取用戶的注意力，並透過分析用戶的行為資訊，餵養包括廣告在內的特定訊息，誘發用戶產生預期的行動。這些消息甚至被政治團體利用，導致社會群體之間彼此的分裂，引發從自殺到種族屠殺等社會事件。

事實上，俄羅斯、巴西、墨西哥等地，都紛紛出現假新聞的製造工廠，這些假新聞透過網路和社群媒體散播，不只造成社會動盪，更影響了政治選舉的結果。例如德國新崛起的另類選擇黨（AfD），就利用了社群媒體引發社會分裂，甚至造成種族之間的衝突。他們創立了許多社群帳號、Youtube 頻道、雜誌以及 App，用以散播對於猶太人、國外移民、伊斯蘭教徒、環保團體和同志的仇恨言論，讓自己在六年內成為德國的第三大政黨。

另類選擇黨成功的關鍵在於他們創立的社群平臺，不先談政治，而是以美食和娛樂，甚至是課業討論來作為包裝，讓用戶感受不到這些平臺背後的政治色彩，等到這些平臺有了大量的粉絲過後，就開始慢慢釋出一些歧視性的言論以及不正確的消息，讓用戶們認為猶太人、國外移民、伊斯蘭教徒、環保團體和同志等群體，正在進行危害德國的行為。

《智能社會》同年一月在日舞影展首次播映，放映過後，電影監製大衛・艾爾利希（David Ehrlich）於知名電影評論網站 IndieWire 為這部片打了 B+ 的分數，他說：「雖然這部片試圖談論很多主題，並且說明社群媒體所產生的負面後果。但其實只要一句話就可以說明這件事的嚴重性：『俄羅斯政府不需要駭進 Facebook，俄羅斯只要使用 Facebook 就好了。』」文章發表以後，新冠肺炎在全球爆發，Facebook 上充斥著關於新冠肺炎的錯誤訊息，也使得影片中探討的議題逐漸受到國際重視。

導演傑夫・歐洛斯基（Jeff Orlowski）在這部片裡召集了曾於這些資訊企業任職的工程師和技術人員進行訪問，訪談中，工程師和技術人員都紛紛表示，很後悔研發出能夠讓用戶上癮的社群軟體，同時也點出：「社群媒體的商業模式就是盡可能去吸引用戶對社群媒體的注意力，並向企業提供廣告版面來獲利。」這也就是為什麼另類選擇黨（AfD）能夠透過社群媒體來壯大，因為社群媒體會告訴企業，什麼樣類型的人會喜歡他們的廣告，幫

助他們精準的投放廣告。而乍看之下得到免費服務的用戶，其實是在把自己賣給了社群媒體。

對於《智能社會》的批評，Facebook 發出七點聲明駁斥，認為自己成為各種社會問題的替罪羔羊，並且指控這部片的導演用煽情的手法來證明自己的觀點。雖然 Facebook 一直致力於讓企業（特別是小型企業）能更快速找到對他們產品有興趣的客戶，但是就算 Facebook 會提供企業他們廣告張貼的成果報告，幫助廣告公司歸納是什麼樣類型的人會去看他們的廣告，然而除非用戶允許，否則廣告商無法取得個別客戶的資訊。此外，Facebook 強調，Facebook 的用戶隨時都可以決定自己想要看到什麼樣的廣告，如果看到不喜歡的廣告，可以選擇刪除，Facebook 系統就會記下他們的喜好，降低這位用戶接觸到同樣類型廣告的機率。用戶擁有選擇，所以他們不會是產品。同時 Facebook 公司更表示，他們在 2008 年時更改過一次演算法，致力減少仇恨對立的言論，並且讓全球使用者的每天觀看時數總和一口氣減少了 5000 萬小時。

**Note**

環境教育

# 越來越環保的電動車

電動車和汽車明顯的差別在於：電動車不會排放廢氣。不過人們仍然經常對電動車提出質疑：「電動車真的比較環保嗎？」這些反對者所質疑的是電動車的能量來源——電能，在製造時也同樣排出了溫室氣體。

探討這個問題，我們可以先認識評量油耗的指標「每加侖汽油能行駛英哩數」（mpg）。mpg 表示汽車的省油程度，數值越高，表示這輛汽車越省油。一輛電動車所排放的溫室氣體，相當於 88 mpg 的汽車。但是目前最高效的汽車，每加侖汽油最多也只能跑 58 英哩。美國新車平均油耗只有 31 mpg，而卡車更只有 21 mpg。

不過，只考慮汽車車輛引擎燃燒所產生的廢氣是不夠的，在分析汽車溫室氣體的排放時，還需要加入以下評估因素：從地底提取原油，到原油運送至煉油廠製造汽油，最後再將汽油運至加油站，這段運輸和製造的過程所排放出來的溫室氣體。同樣的，分析電動車的耗能則需要考量包括使用煤炭、天然氣及其他燃料發電的過程中、以及電力輸送時所產生的溫室氣體。

我們有理由相信，電動車將會變得越來越環保。主要的原因在於過去的十年中，煤炭發電的比例從近 50% 下降到 30%。同時，可再生能源發電，例如太陽能和風能，已經增長到占發電比例的 10%。根據 2017 年的總體數據來看，煤炭和天然氣的使用均在逐漸下降，而可再生能源的使用則持續增長。

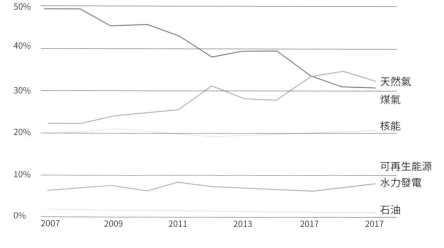

圖一　美國各能源發電比例圖

我們試圖去加總一個區域內所有汽車與電動車的總油耗，並計算出平均每輛車的油耗繪製成下面的地圖。將 2009 年的圖和 2012 年繪製的結果並列來看，這幾年間的變化非常讓人驚訝。

在 2009 年的分布圖中，不到一半的美國人居住在平均油耗水準低於 50 mpg 的區域，但不到十年後，幾乎所有美國人都居住在平均油耗水準超過 50 mpg 的區域。

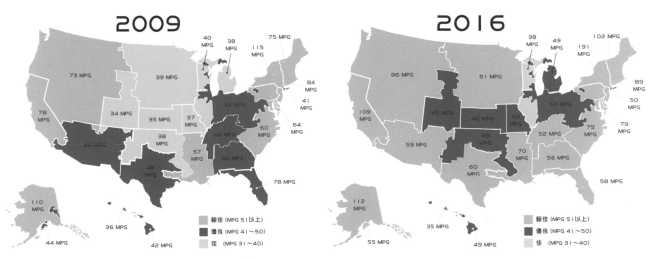

圖二　美國 2009、2016 各地區車輛油耗統計分布圖

越大型的電動車運作效率就越低，這也就代表它會在駕駛的過程產生更多的溫室氣體。但是儘管如此，像電動休旅車這種大型電動車仍然比非電動汽車還要更環保。比較一下奧迪 e-tron 電動休旅車以及奧迪 Q8 休旅汽車，就可以看出明顯的差別。奧迪 Q8 休旅汽車的油耗是 18 mpg，相比起來，就算是用最不環保的輸電網路，而奧迪 e-tron 電動休旅車所排出的溫室氣體還是比奧迪 Q8 休旅汽車還要少；而若是採用最環保的輸電網路，電動休旅車溫室氣體的排放量不到休旅汽車的四分之一。

輛車和卡車是美國國內排放溫室氣體的主要來源。將汽車改成電動車是減緩氣候變化的主要方法，但是這只是減少溫室氣體的其中一個方法。未來五年即將販售的許多汽車，都還是要靠汽油驅動，因此在這段期間，我們必須制訂一套汽車油耗及溫室氣體排放量的管制標準，確保這些汽車是夠環保的。另一方面，我們也可以透過降低駕駛次數來減少溫室氣體的排放，如共享乘車、使用大眾運輸或自行車作為交通工具。

**非連續文本**

# 按讚會挨告嗎？

## 按讚要小心？！

網路宛如人人戴著面具的社會，任何人都能扮演不同的角色發表言論。其中社群網站提供多樣化表達意見的方式，使用者只要動動滑鼠按個「讚」，就可以讓發文者感受到關心，不過這就衍生了一些問題，網路上的言論是否需負法律責任？在社群網站上「按讚」會觸法嗎？

### 案例一

小美 在 2021 年 4 月 4 日寫：
小時候喜歡的童話改編成電影也太好看！
華麗的場景和溫馨的劇情真是絕配！
死纏爛打的男主角也太好笑了 XDD
白白親你可不是公主的義務啊～～
目前好像還沒多少人知道這部電影多棒 ><
大家看過以後也要幫忙宣傳啦！！！
#青蛙王子 #值得看看 #我沒在罵人

👍讚　　💬留言　　↩分享

小明、其他 15 人和你都說讚。

### 案例二

# 可恨同學 8111
我來開學第一砲！
星期二下午 2 點在 507 教室裡面
穿黃色上衣藍色短褲的葉同學
你偷放的屁真是臭到
人・神・共・憤！！！
你以為大家衝出教室只是因為
下課鐘響很開心嗎？

👍讚　　💬留言　　↩分享

### 案例一　小美是否犯罪

臉書發布文章，未設定隱私狀態為「僅個人可見」符合「公然」性質；而藏頭詩中的「死白目」一詞有貶損他人社會評價之意涵，只要小華覺得受辱，就符合「侮辱」要件，因此涉及公然侮辱罪。小美除了面臨《刑法》處罰，恐怕也要負責小華的精神賠償損失並以公開道歉方式回復小華名譽。

### 案例一　小明是否犯罪

依照目前法界的見解，認為按「讚」是臉書的預設功能，在臉書按讚是使用者用來表達關心或認同的「本能」，有時功能近似於「閱」或「看過」，且小明並未積極留言附和，所以不會構成犯罪。

### 案例二　匿名是否犯罪

由內文可推測時間與地點，若被影射者認為此文導致自己的名譽受損，則可根據《刑法》提起告訴。而公然侮辱罪及誹謗罪的區別在於，前者只要被影射者覺得受辱便成立；後者則必須有具體的事實，且若具備公共利益與真實性要件則不成立罪名。在難以追究發文者的情況之下，被影射者可以要求留言者和分享者負起法律責任，其可能面臨最低三個月以上誹謗罪責或侮辱罪責。

### 相關法律小知識參考

- 《刑法》第 309 條（公然侮辱罪）：「公然侮辱人者，處拘役或九千元以下罰金。以強暴犯前項之罪者，處一年以下有期徒刑、拘役或一萬五千元以下罰金。」
- 《刑法》第 310 條（誹謗罪）：「意圖散布於眾，而指摘或傳述足以毀損他人名譽之事者，處一年以下有期徒刑、拘役或五百元以下罰金。散布文字、圖畫犯前項之罪者，處二年以下有期徒刑、拘役或一千元以下罰金。對於所誹謗之事，能證明其為真實者，不罰。但涉於私德而與公共利益無關者，不在此限。」
- 《民法》第 195 條第 1 項規定：「不法侵害他人之身體、健康、名譽、自由、信用、隱私、貞操，或不法侵害其他人格法益而情節重大者，被害人雖非財產上之損害，亦得請求賠償相當之金額。其名譽被侵害者，並得請求回復名譽之適當處分。」

（節選自品學堂文化《閱讀理解學習誌》第 8 期，2015 年 9 月）

# 07

# 樹狀圖與心智圖

我們前面學到了用表格來整理訊息與關係，不過，你有發現「表格」能呈現的是「相同或比較」的訊息嗎？如果有些訊息有「時間先後順序」或「上下位階」的關係，你可以透過樹狀圖或是心智圖來整理。繪製樹狀圖或心智圖，也可以幫助我們把想法具象化，了解自己思考的過程喔！

# 開什麼店好呢？

# 思維的具象化：樹狀圖與心智圖

　　閱讀總是離不開兩個基本概念：訊息和關係。有時候光用文字沒辦法清楚說明訊息之間的關係，這時候「圖像化」就是一個可以幫助我們釐清訊息的關係與理解的好方法喔！其中，「心智圖」和「樹狀圖」就是我們經常可以使用到的兩種工具。

　　「心智圖」的中心是一個「核心概念」，向外分支出與這個核心概念相關的各種訊息，接著，每一個分支的訊息又可以再向外擴展，形成一圈又一圈的圖形。有時候為了方便視覺上的區分，我們也可以用不同的顏色來繪製不同方向的分支，讓心智圖更加清楚。

　　而「樹狀圖」顧名思義，有著像是樹木的形狀。就像是一棵樹，最初是由種子開始，長出樹根與樹幹，然後逐步長出枝枒。樹枝會在分出更細的細枝，最後在末端長出葉子。與心智圖分析一樣，我們可以把樹狀圖中的「樹根」當作核心概念，向下再細分成幾個小概念，小概念又可以再分成更細的訊息，就像是在左圖中的核心概念為「如何獲得零用錢」，往下延伸有「幫忙做家事」與「認真做功課」兩個分枝方法；再往下一層，則可以看到「做家事」有「整理衣服、掃地、洗碗」三個小訊息；而做功課也可以往下延伸到不同的概念，最後獲得零用錢。

不過，你發現了嗎？無論樹狀圖或心智圖，都會用到先前談過的訊息、關係、歸納及上位概念等方法。或許你會有疑問：心智圖和樹狀圖看起來好像是同一種東西，都從一個核心的概念出發，然後分出好一層又一層的概念，不過兩者之間究竟有什麼差別？

　　我們可以簡單這樣區分：樹狀圖強調「分層」，當你想要整理資訊、畫出架構的時候，樹狀圖會是不錯的選擇；而心智圖強調「擴散」，當你想要構思、發想的時候，它更加自由、有彈性。

　　不管是哪一種圖象化的整理方式，都只是幫助你更加理解文本、整理文本資訊的方法之一，並不需要精美的圖畫技巧，更重要的是：「我們到底想要用這張圖表做什麼？我們畫這張圖表時，到底思考了什麼呢？」，也別被這個圖畫所困住囉！

想一想，正確的答案是什麼呢？

- 下列情節順序為何？○吳王請孫武示範練兵 ○宮女大笑

  ○宮女行動整齊劃一 ○隊長被處死

- 你覺得故事想要表達的意思是什麼？

---

孫 武是有名的軍事家，他向吳王闔閭獻上剛完成的兵書《孫子兵法》。闔閭讀完之後覺得不錯，但想到孫武沒有實際領兵作戰的經驗，便問他：「你能不能實際演練一下你的兵法，操練我國的士兵？」孫武回答：「可以。」闔閭又問：「那麼可否以我宮中的女子演練？」孫武仍然回答：「可以。」

闔閭於是從後宮挑出一百八十名女子。孫武將女子分為兩隊，分別各由一位吳王所寵愛的妃子帶領，擔任隊長。孫武問宮女們：「你們知道胸口、左手、右手、後背嗎？」宮女們覺得很新鮮，笑說：「當然知道呀！」孫武便申述了擊鼓的號令，指示宮女依照鼓聲動作。

正式的操練開始了。鼓聲一下，宮女們哈哈大笑起來。孫武見狀，說道：「軍令不熟，是將軍的過錯。」於是再次講解號令，確保眾人都知道鼓聲的意涵。接著，他又重新擊鼓，宮女卻再次笑彎了腰。

孫武說：「剛剛軍令不明，是將軍的過錯，但我已再三講解，這就是隊長和士兵的責任了。」說完便下令將兩名隊長處死。闔閭趕緊上前阻止，說道：「將軍治軍的能力我已經見識到了，不用真的處死兩位愛妃吧！」孫武卻說：「將在外，君命有所不受。」仍將兩位妃子正法。

接著，孫武再次擊鼓，只見宮女們行動整齊劃一，紀律嚴明。孫武走向高臺，對吳王說：「大王，練兵已成，請大王視察。」闔閭鐵青著一張臉，拂袖而去。

（改寫自選自司馬遷《史記·孫子吳起列傳》）

想一想，正確的答案是什麼呢？

- 下列哪一種訊息不屬於同一類別：○動作組別 ○空中姿勢 ○跳水高度
- 飛身動作、方向、翻騰週數、轉體週數的上位概念是：○動作組別 ○空中姿勢 ○競賽項目

許多人可能知道跳水是一種從高臺或跳板跳落，做出不同動作然後入水，而評審會以動作的優美性和技術難度評比的運動，但若繼續追問：「跳水的分數要怎麼算？」可能大部分人都答不上來。

其實，跳水的每一個動作都有自己的號碼，透過號碼的組合，便可以看出這組動作是什麼。所有號碼開頭的第一位數都是「動作組別」，也就是根據運動員「起跳前站立的方向」和「起跳後身體運動的方向」區分；而號碼的最後一位數則代表「空中姿勢」，如直體、屈體、任意等。中間的二至三位數字則取決於不同的「動作組別」，代表飛身動作、方向、翻騰週數、轉體週數等。例如「113B」即為「向前飛身翻騰一周半屈體」，「5337B」則是「轉體反身翻騰一周半、轉體三周半屈體」。

透過將跳水動作分成不同動作的組合，即可有系統的評估一個動作的難度。跳水運動常用的「難度係數」是按照動作的組別、競賽的項目（彈板、跳臺）、跳水的高度、動作姿勢和翻騰轉體的周數等來決定。難度係數越高的動作越容易得到高分，但相對的失敗機率也更大。

比賽時，裁判會根據運動員的開始動作、助跑（即走板、跑臺）、起跳、空中動作和入水動作來評定分數。根據不同的裁判制度，刪去高分與低分，將剩下的分數相加，再乘以該動作的難度係數，即為運動員該輪的得分。

戶外教育

# 去爬五寮尖

從小到大都住在城市，沒什麼機會接觸戶外活動，來臺灣讀書半年，一直想去北部郊區爬山。上個週末同學邀約，我們便一起去造訪位於新北市三峽區的五寮尖山。

五寮尖山雖然不高，但是高低起伏，過程中常常要手腳並用。除了一般登山的步道之外，也有些陡峭的岩壁，需要以繩索攀登或垂降才能越過。與其說是爬山，我覺得五寮尖更像一座攀岩場，非常有趣！難怪吸引許多人來挑戰。

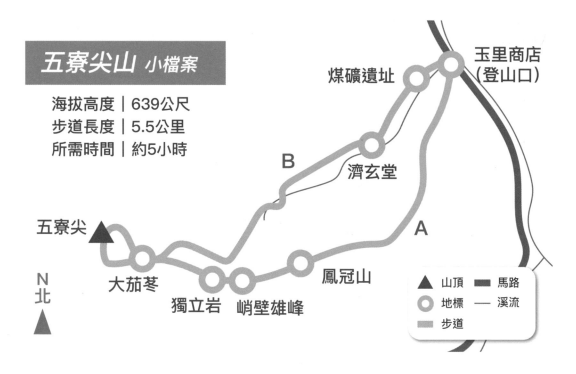

整條路線中有兩個地方令我印象特別深刻。首先是「鳳冠山」，步道在這裡正式進入稜線，視野一下開闊起來；另一個則是名為「峭壁雄峰」的大岩壁，在這裡，人們需要拉著繩索向下垂降三十公尺，沒有一點體力和膽量，還真不容易做到呢！

過了峭壁雄峰，還有許多陡峭的路段。抵達準備攻頂的「大茄苳」時，我已經筋疲力盡了。不過目標近在眼前，怎能放棄？還是得堅持到底！終於，經過將近三小時的艱難前行後，觸摸到五寮尖山的三角點那一刻，我感覺自己似乎完成了一件很了不起的事。

經常爬山的臺灣朋友告訴我，臺灣山岳密集，從數百公尺的郊山到將近四千公尺的高山都有，登山近年也成為臺灣人熱門的休閒活動。不過隨著登山人潮的增加，登山意外也頻頻發生，出發前最好做足準備，不要輕忽大意、逞一時之勇。

「不能因為有風險就不去做，人類不能遠離、排斥這塊土地，還是要走到自然裡，學習自然的知識，與自然相處，因為所有的人、文明與科技，都不能脫離自然。」朋友說。

聽到這些話，從小與自然沒什麼緣分的我，看著鋼索外碧綠的深谷，對這個陌生的地球，不禁升起了親近與敬畏之心。

**Note**

# 印度沒有咖哩

你喜歡吃咖哩飯嗎？你知道咖哩是從哪裡來的嗎？咖哩的起源有兩個說法：一個說法認為咖哩起源於印度，是一種用來去除羊肉腥味的調味醬汁；但另一個說法認為咖哩最早是東非嗒克茲雅人發明，是用來保存肉品及內臟所使用的醬汁，後來才漸漸傳到印度。因此，咖哩一開始其實並不是一道料理，比較像是調味用的醬料。

關於「咖哩」（Curry）這個名字，相傳最早是由葡萄牙人根據印度南部的泰米爾語裡頭「Kari（醬汁）」這個詞發明出來的。有一種說法是，當時的葡萄牙人看到印度人吃飯的時候，習慣用香料調製而成的醬汁搭配主食食用，便詢問這道料理的名稱是什麼，結果印度人以為他是在問醬汁的名字，就跟葡萄牙人回答「Kari」，葡萄牙人便以為這是一道叫做「Kari」的料理。時至今日，葡萄牙料理中的「葡國雞」，就是以香料調製的醬汁燉煮雞肉，相傳是當時葡萄牙人跟印度人學會的料理方式發展出來的。

在印度，其實並沒有一道料理叫做「咖哩」。對印度人來說，麵包或是米飯搭配肉汁就是他們的家常菜。印度人燉煮肉汁的時候會加入各種辛香料，並沒有一套固定的配方，也沒有專門的食譜，每個家庭都有他們自己調製香料的獨特方式。醬汁搭配的主食也會隨著各地盛產的農作物而有所不同，西印度多配上玉米製成的麵包，北方盛產麥子因此主食多搭配麵包，南方則多搭配米飯。

而我們煮咖哩時會用到的「咖哩粉」最早則是英國人發明的；而印度人沒有咖哩粉，只有叫作「馬薩拉」（Masla）的混合香料粉。「馬薩拉」跟咖哩粉最大的差別是，「馬薩拉」並沒有固定的混合方式，完全取決於每個人不同的喜好自己搭配，不像咖哩粉的香料配方是大同小異。

1772 年，英國東印度公司 (註1) 將香料粉帶回英國，並連同香料粉熬製成的醬料，搭配印度米一同獻給皇室享用，這道料理受到皇室成員讚賞，也受到英國人民的喜愛。英國當地的 C&B 公司更是針對英國人的口味改良，並命名為「咖哩粉」（curry powder）。有了咖哩粉以後，人們不需要像是印度人一樣有調配香料的創意及技術，也可以用咖哩粉做出「咖哩」，而咖哩醬汁更因為不容易腐壞，成為英國海軍常備餐點。

咖哩隨著英國商人的貿易活動傳到世界各地，並在各地發展出獨具特色的咖哩料理。

日式咖哩是在明治初期由英國商人傳入的咖哩發展而成，在當時僅有少數幾家餐廳販

售。在明治維新 (註2) 的政策下，日本海軍決定效仿英國兵制，除了武器和軍艦與英國海軍相同外，飲食上也一同模仿英軍的用餐方式與餐點，咖哩、馬鈴薯燉肉等菜餚開始出現在日本海軍的餐桌上，咖哩飯也藉由士兵返鄉後傳到日本各地，並開始廣為流傳。愛上咖哩的日本人不僅發明了加入油脂和澱粉的速食咖哩塊，更開始在材料中加入蜂蜜、水果等食材，讓口感層次更豐富，成為我們現在常見帶有甜味的日式咖哩。

　　除了我們最為熟悉的日式咖哩外，東南亞地區也發展出各式各樣咖哩。像是以新鮮綠辣椒為主的的泰式綠咖哩、用紅色乾辣椒製作的泰式紅咖哩，或是加入新鮮椰奶、羅望子的馬來西亞咖哩。這些咖哩各自具有不同的特色，做法材料也都不盡相同，但香料都是它們不可或缺的成分。

　　這些各有風味的咖哩，你最喜歡的又是哪一種呢？

註 1. 東印度公司為 17 ～ 19 世紀時，擁有皇家特許狀，負責英國海外貿易事務的公司。
註 2. 日本明治時代初期以「脫亞入歐」為目標而推行的一系列改革。

Note

# 畢業生出路調查

以下為某職業學校 2008 學年度畢業生出路調查統計表：

**第一部分** 各科資料統計人數

| 概況類別 | 機械科 | 電機科 | 汽車科 | 食品加工科 | 總計 |
|---|---|---|---|---|---|
| 已升學 | 52 | 57 | 23 | 37 | 169 |
| 已就業 | 7 | 2 | 0 | 2 | 11 |
| 未升學／就業 | 10 | 15 | 10 | 0 | 35 |
| 其他情況 | 0 | 0 | 0 | 0 | 0 |
| 合計 | 69 | 74 | 33 | 39 | 215 |

**第二部分** 各科資料統計比率

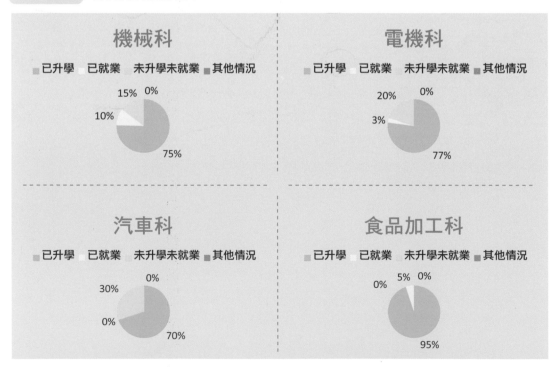

機械科

■ 已升學　■ 已就業　未升學未就業　■ 其他情況

15%　0%
10%
75%

電機科

■ 已升學　■ 已就業　未升學未就業　■ 其他情況

20%　0%
3%
77%

汽車科

■ 已升學　■ 已就業　未升學未就業　■ 其他情況

0%
30%
0%
70%

食品加工科

■ 已升學　■ 已就業　未升學未就業　■ 其他情況

0%　5%　0%
95%

閱讀心法

# 08

# 用假設探索未知

我們在生活中，常常會說「假如」、「假設」、「如果」……
都是試著設想不同的可能性。透過「假設」設想各種可能，然
後以邏輯、尋找相近概念或共通點形成推理的脈絡，驗證我們
的假設。不過，你知道嗎？就連閱讀也需要用到「假設」！現
在，就一起去看看閱讀的「假設」是怎麼一回事吧！

# 「假設」是問問題的好方法！

　　如果說，「文本」是一間房子，「訊息」是蓋房子的材料，「關係」是如何組裝、擺設這些材料的規則，「上位概念」則是一個又一個的房間，那麼「假設」就好比我們走進一間陌生的房屋時，做出「這裡應該是客廳吧！」、「這間房子的主人應該很有錢吧！」等等的猜想。

　　現實生活中，往往不會有人為我們介紹所到達的每一個地方、或是遇見的新事物與經驗，所以我們必須經由假設、蒐集資料、驗證的過程，自己去學習關於這個地方的種種，閱讀也是如此。

　　「假設」的工作可以從「觀察文本中的訊息」開始。走進一間房間，我們會去看：房子有多大？有多少門窗？有什麼家具？裝潢的風格是什麼？還有哪些蛛絲馬跡？接著，我們會根據這些觀察，做出一個初步的判斷：這應該是一間小女孩的房間！雖然這個判斷當然不一定正確，但是它是經由我們對於環境的觀察，初步得到的合理推測。

　　就像在閱讀文本時，我們不太確定作者真正想要表達的意涵，我們可以先試著從上位概念中，假設一種可能的意涵，然後試著從文本中找到可以支持這個假設的答案。譬如，閱讀〈三隻小豬〉的故事，我們可以假設大野狼是反派角色，試著找出牠身為反派角色的證據，如果能經

過驗證，找到能呼應假設的訊息，那麼我們的假設就是正確的了。我們也可以針對故事情節提出假設。例如，我們可以假設「作者透過三隻小豬對蓋房子的選擇，來凸顯三隻小豬的個性。」再從故事中的訊息中，找到可以支撐著這個假設的內容。

在閱讀一篇文本後，我們也可以針對文本提出的三個關於假設的問題：

・**我看到什麼？**

・**我「假設」這篇文章在說什麼？**

・**我會這麼說，是因為我看到的東西能夠支持我的假設，它們的關係是……**

透過這三個問題，可以幫助我們思考究竟閱讀理解後的想法是否正確。「大膽假設，小心求證」是現代強調的科學精神，也是閱讀和探索的起源，千萬不要害怕做出錯誤的判斷喔。

想一想，找出文章想說的是什麼？

- **你從這篇文章看到什麼？○卡隆高尚的個性 ○同學很可惡**
  **○克洛西很生氣**
- **你會「假設」這篇文章在說什麼？** _____
- **你會這麼說，是因為你看到** _____
  **能支持假設。**

---

說到卡隆的為人，我看了今天的事情就明白了。

我今天晚到校，進入教室時，老師還沒到。一看，教室裡有三、四個小孩聚在一起，正在戲弄一個有一頭紅髮、手有殘疾、以賣野菜維生的孩子克洛西。有的人用三角板打他，有的拿栗子殼丟他，說他是「殘廢者」、「怪物」，還將手臂掛在脖子上模仿他的動作。克洛西臉色都蒼白了，眼光好像在說「饒了我吧」。

他們看克洛西如此，卻變本加厲，克洛西氣得全身發震。這時，烏蘭諦忽然跳上椅子，模仿克洛西母親挑菜的樣子。克洛西的母親因為要接克洛西回家，時常到學校來，不過，聽說她現在臥病在床。

大家看到烏蘭諦的表演都笑了起來。克洛西大怒，突然將擺在桌上的墨水瓶對準了烏蘭諦擲去。烏蘭諦敏捷的避開，而墨水瓶正好打在從門外進來的老師的胸口。

大家都逃回座位，怕得不敢作聲。老師變了臉色，屬聲問：「是誰？」沒有人回答。老師提高聲調說：「是誰丟的？」

這時，卡隆忽然起立，態度很堅決的說：「是我！」老師眼盯著卡隆，又看看其他愣住的學生們，靜靜的說：「不是你。」接著又說：「絕不加罰，投擲者起立！」

克洛西起立了，哭著說：「他們打我，欺負我。我氣昏了。」

「好的！那麼欺負他的人起立！」老師說。四個學生站起來。

「你們欺侮不幸的小孩，欺侮弱者！你們做了最可恥的事！」老師說著，走到卡隆的旁邊，注視著他的眼說：「你的精神是高尚的！」

（改寫自愛德蒙多・德・亞米契斯《愛的教育》）

想一想，找出文章想說的是什麼？

- **你從這篇文章看到什麼？**◯可口可樂的由來
  ◯可口可樂是一種健身飲料 ◯可口可樂含有毒品成分
- **你會「假設」這篇文章在說什麼？**＿＿＿＿＿＿＿＿
- **你會這麼說，是因為你看到** ＿＿＿＿＿＿＿＿
  **能支持假設。**

---

可口可樂是目前全世界最著名的飲品，最初是由一位叫做約翰‧彭伯頓（John Stith Pemberton）的藥師所發明的健身提神飲料。彭伯頓從古柯葉（Coca）和可樂果（Kola）中提煉出古柯鹼和咖啡因兩種成分，製作成一種高濃度的飲料原漿，並放在藥局中販售。之後，他的合夥人兼會計師弗蘭克‧羅賓遜（Frank Mason Robinson）將這款健身飲料改名為「Coca Cola」，並設計流傳至今的品牌 LOGO。

眾所周知，古柯鹼是國際法律所規範的管制藥品，也是常見的毒品之一。濫用古柯鹼會產生幻覺、感覺扭曲、多疑、猜忌、妄想等精神症狀，以及鼻炎、呼吸衰竭、心臟麻痺等生理危害，嚴重者甚至會導致死亡。時至今日，連非醫學用途的古柯鹼使用都可能面臨刑事問題。

不過，在可口可樂以古柯鹼的提神功效作為賣點的二十世紀初，古柯鹼還未被證實是一種有害的成分，它甚至是社會名流和高知識分子互相推薦的強身良方，像是被譽為「精神分析之父」的佛洛伊德（Sigmund Freud）就是古柯鹼的愛好者；也因此早期的可口可樂確實含有微量的古柯鹼，其「藥用」功效也比現在明顯得多。

隨著世界對於古柯鹼的認識增加，可口可樂中的古柯鹼成分也已從配方中移除。如今的可口可樂已不含古柯鹼，咖啡因含量也降低許多，並從藥局走向市場，成為一種平民飲料。但即使如此，在講求自然飲食的當代，作為一種人造飲品，可口可樂恐怕還是無法完全擺脫爭議。

# 我們都是一家人：卑南族的「家」

連續文本

從日治時期以來，多數的學者都認為卑南族是母系社會。由於卑南族的男性在結婚之後會被歸入妻子家中，同時財產的繼承也是以女子為主。但是越來越多的研究指出，卑南族人對於「怎樣算是一家人？」的觀念，很難光以「母系社會」來簡單概括。

卑南族人親屬之間的聯繫，還透過「家屋」、「祖靈屋」還有「小米種子」這三個元素，來確認彼此之間是否是一家人。我們從卑南族命名邏輯：「個人名＋家屋名」，就可以發現「家屋」在卑南族的家庭觀念中的重要性。

能夠在同一個建築空間裡一起吃飯，遵守這個建築空間裡的共同禁忌，是卑南族人認定彼此是「同一家人」的準則。當卑南族人說：「ameLi ta Tau i sabak（不是家裡的人）」時，「Tau i sabak」代表的是「裡面的人」的意思，指的就是家屋建築裡頭的人的意思。

卑南族人有室內葬的習俗，認為死者在死後仍然是一家人，因此會將死者葬在他們出生的家裡，表示死者雖然死去，但仍然與家人們一同生活。但若是因為婚姻進入到別人家的子女或兄弟，過世以後就會埋在他們婚後的另一個家中。

由於因結婚而加入的新成員原本並不屬於這個家，以前並沒有在這座建築物裡和其中的人一同吃飯、遵守這座建築物的相關禁忌。所以這些「外來者」都需要透過由這個家負責儲存小米、播種小米的長者，在穀倉所舉行 parkirpauwa 儀式，讓其正式成為這個家的一分子。parkirpauwa 儀式同樣也可用於被收養的子女。

小米種子對卑南族人來說也非常重要。不同家族之間，會因為持有相同的種子，而被視為是同一個親屬群體。如果某一家人因為前一年收成不好，向其他家借用一點小米，那麼只有當這兩家人來自同一個本家時，借來的小米才可以直接放進自家的穀倉裡；如果不是，那些借來的小米只能懸掛在屋簷下或是庭院裡，等到隔年用這些小米播種後，新收割下來的小米才能放進自家穀倉。

卑南族人除了有一個家人們共同生活的「家屋」以外，還會有被視為「真正的家」的祖靈屋（karumahan，意思是「真正的家」或「舊家」）。祖靈屋被認為是卑南族人過世以後靈魂前往的地方，不同的家也會因為祀奉同一所祖靈屋而被視為具有親屬關係。

但是祖靈屋不只有一種，有祭祀創始祖以及歷代祖先的「家族性的祖靈屋」，還有跟部落起源與建立有關的、有同一個部落共同祀奉的「部落性祖靈屋」，也有由生前某位來

自父方，或是母方祖先所建立，以巫師個人為主的「巫師的祖靈屋」，以及祭祀某位特定祖先的「個人性祖靈屋」，這個特定的祖先可能是來自父方，也可以是來自母方。

　　同一家人會共同祀奉「家族性的祖靈屋」，但是每個家人可能會祀奉不同的「個人性祖靈屋」及「巫師的祖靈屋」。總結來說，祀奉「部落性的祖靈屋」能讓強化同部落族人之間的關係；祀奉「家族性的祖靈屋」能讓同一家族的人彼此的關係更緊密；而祀奉「巫師的祖靈屋」及「個人性祖靈屋」則是可以跨越家族和部落的限制，和非母系的親屬以及部落外的親人產生聯繫。

參考文獻：陳文德：《卑南族》( 臺北：三民書局，2010 年 )

# 用 AR 給朋友不一樣的聖誕驚喜吧！

## AR 的原理是什麼？

擴增實境（Augmented Reality，簡稱 AR），是一種能將螢幕中的虛擬環境與現實環境結合，達到互動的技術。AR 裝置只要透過鏡頭偵測到符合設定的環境，就能在裝置中產生相對應的動畫或效果。

## 要準備什麼？

★ 智慧型手機
★「Easy 玩 AR！」APP
★ 一棵聖誕樹
★ 會閃爍或變化的聖誕樹燈飾
★ 紙膠帶

## 「奇幻聖誕樹」流程

★ 拍攝一張聖誕樹的照片，在你拍照的地點上以紙膠帶做標記。
★ 為聖誕樹裝上燈飾，將燈飾的燈全部打開，然後在同一個位置拍攝一段十秒鐘的聖誕樹影片。
★ 將聖誕樹的燈飾拆除，使聖誕樹回到原來的模樣。
★ 下載「Easy 玩 AR！」APP，將剛剛拍攝好的照片和影片分別上傳到「Easy 玩 AR！」APP。
★ 在 App 上製作 AR 專案，完成後，將連結儲存至你的手機。
★ 邀請朋友來家裡聚會，並請他們下載「Easy 玩 AR！」APP。
★ 將你的聖誕樹 AR 連結傳給他們，請他們站在指定地點打開連結，鏡頭對準聖誕樹掃描。
★ Merry Christmas！聖誕快樂！

想看更多或分享你的 AR 點子？盡在 Easy 玩 AR！創意平臺

# 日本核能發展趨勢

**缺**少天然能源的日本向來積極發展核能發電。在 2011 年的東北大地震之前，日本的核能發電量已經占了總發電量的 30%。如果不是突如其來的天災，日本政府本來還預計繼續提高核能發電量的比例。

歷經漫長的重建，日本於 2019 年將核電占比逐步提升到地震以來的最高水平。雖然與巔峰時期的發電量仍有落差，但是統計數據顯示，核災後的日本對於核能發電仍然十分依賴。2019 年，日本核能發電量占總發電量的 7.5%，比前一年增加 1.3%。截至 2020 年九月，日本共有三十三座可運轉的核子反應爐，而其中有九座實際在運轉。

不過日本 2020 年的核電發展可能停滯。七月時，九座運轉中反應爐的四座被迫暫停運作，原因包括電廠未能通過反恐測試、管線破損和法令禁止等。十月時又有另一個反應爐由於未通過反恐測試，因此暫時關閉。此外，預計重啟的其他反應爐，也因法律問題而可能延後重啟日期。

### 日本1963年–2020年核能發電的發展趨勢

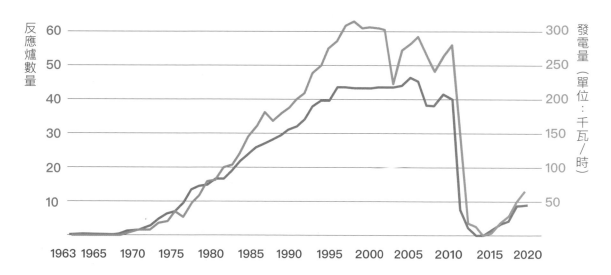

資料來源：《世界核能產業報告 2020》　|　製表：Kucci Chen

閱讀心法

09

# 驗證讓理解變得可靠

你看過偵探辦案的故事嗎？故事中的偵探常常需要在觀察後，鎖定目標，然後找到證據證明自己的推理是正確的。這個「假設－驗證」的過程也是閱讀的核心。訊息經過眼睛，進入大腦，形成一種想法後，我們需要對這個想法的檢驗、確認，然後接受它，使它成為我們的認知，這就是我們在閱讀時，在我們看不見的大腦內部，無時無刻都在不斷反覆的這一個簡單又複雜的工作。現在，就試著找到證據驗證假設，幫助自己更加確認理解的正確性吧。

# 驗證的重要性

　　「假設」與「驗證」就像一艘探險船上的兩個人，「假設」是船長，負責決定目的地，鼓舞整個探險隊前進；「驗證」則是船上副手，負責回應船長的命令，規劃解決方案，並在分析過後提出建議或調整意見，告知船長前進的方向或先前的想法或決定是否正確。

　　所以當我們在閱讀文本，並做了假設後，若沒有驗證，就像一個獨斷專行的船長，盲目指揮團隊，很可能判斷錯誤，一頭撞上暗礁沉入海底，無法正確理解文本。反過來說，驗證之前也必須先進行假設，否則我們便不知道需要驗證的內容是什麼。

想像一下，當船長問你：「大副，你覺得這個計畫怎麼樣？」但他根本沒有告訴你計畫的內容，你要怎麼回答呢？因此在閱讀文本時，「假設」與「驗證」缺一不可。

　　和假設一樣，驗證也仰賴兩個要素：「資料」和「邏輯」。在對文本進行假設之前，我們已經蒐集了部分的訊息，也思考過它們之間的關係。驗證其實就是在這個基礎上，擴大資料的範圍，並且更細緻的整理資料。說到「整理」，我們先前學到的工具就可以派上用場了！

你可以利用歸納法提出上位概念，以表格整理可比較的訊息，區分文本中所呈現的究竟是事實還是觀點，用樹狀圖或心智圖整理概念結構……，這些工具都可以幫助我們驗證假設是否正確。

　　不過，驗證並不是一個單一具體的方法，而是透過許多方法共同完成的閱讀步驟。

　　如果面對你的假設還是毫無頭緒，不妨試著這麼做：

　　·畫出一張樹狀圖或心智圖，整理文本的結構。

　　·為每一個上位概念或假設，找到三個合理的證據或訊息支持。

　　·再次檢查這些證據是否合理。

　　相信透過這三個方法，肯定能幫助你一步一步驗證你的假設。萬一，在驗證的過程中，找不到相應的證據可以支持你對文本的假設，也別慌張。或許只是假設錯誤，那麼，就換另一種「假設」吧！熟練之後，相信「假設」與「驗證」的過程會越來越熟練！

想一想，正確的答案是什麼呢？

- **找出春香被欺負的證據，下列何者為非？**
  ○**新任使道想要納她為妾**　○**百姓想要為她建造牌坊**
  ○**她被判死刑**
- **下列事件發生的順序為何？**○**春香與李夢龍互許終身**
  ○**春香被欺負** ○**春香順利被救出**
- **找出文章中描述身分隔閡的訊息：**＿＿＿＿＿＿＿＿＿＿＿

---

在朝鮮的李氏王朝時期，曾經流傳著這樣一個具反映社會疾苦現象的愛情故事。全羅道南原府有一名叫做春香的女子，她是已經退隱的妓生月梅的女兒。春香容貌絕麗，是遠近聞名的佳人。某一年的端午節，春香在廣寒樓遇到了當時使道（等同於地方首長）的兒子李夢龍，兩人一見鍾情，決定互許終身。

可惜，婚後不久，兩人就被迫分離。夢龍的父親調任漢陽，他必須隨行並參與科舉。由於當時的法律規定，已婚男子禁止參加科舉考試，於是夢龍隱瞞了他與春香的關係，並將春香留在南原，隨父親前往京城。臨別時，兩人離情依依，夢龍允諾：等他高中科舉時，就回來接春香團聚。

造化弄人，三年後，南原來了一位仗勢欺人的新任使道卞學道。他聽說春香貌美，便想藉著自己的權勢強行納其為妾。春香嚴詞拒絕，惱羞成怒的卞學道懷恨報復，仗著自己的職權，竟將春香逮捕並加以嚴刑拷打。可是春香哪會屈服呢？於是卞學道決定判她死刑。南原百姓聞訊後，都為春香感到氣憤與惋惜，他們為了能在春香死後表彰她的貞潔，便自發性的收集羹匙，想建立一座金屬牌坊。

幸好，此時的李夢龍已然高中科舉，成了督察地方官的巡按御史。在巡察途中，夢龍得知春香在南原的遭遇，便急忙趕回，下令調查卞學道的罪行。卞學道多年來多行不義，斑斑劣跡一經查證，隨即被撤職定罪。在老百姓的歡呼聲中，不只春香與夢龍有情人終成眷屬，同時也剷除了一個為害鄉里的惡官。

（改寫自韓國《春香傳》）

想一想,正確的答案是什麼呢?

- 科學家透過什麼方法來驗證象鼻的運作情形? ○觀察
  ○實驗與測量 ○猜測
- 你認為作者想表達的想法是什麼? ○大象很特別
  ○吸引大眾對大象的興趣 ○了解象鼻運作機制及運用
  ○象鼻有許多功能

大象的長鼻子是牠們的招牌標誌,但是科學家在長時間觀察象鼻之後,有一個問題開始浮現在他們心中:「大象一天要吃掉將近 200 公斤的食物,這些『進食行為』多半與牠們的長鼻子有關,牠們的鼻子到底是如何運作的呢?」

來自喬治亞理工學院的學生團隊開始了對大象長鼻子的研究,他們想知道大象是如何使用鼻子來操控攝取空氣、水、食物和其他東西的機制,甚至期望這個研究能對未來的機器人研究帶來啟發。

舒爾茨(Andrew Schulz)是這個計畫的領導人,他率領團隊與亞特蘭大動物園的獸醫合作,研究大象進食的情況。發現對於體積較大的切塊大頭菜,大象會用鼻子抓取並收集;而對於較小的切塊,牠們則會先「吸氣」,再將蔬菜送到嘴裡。

研究團隊還觀察了大象吸水的速度,他們準備了大水缸,測量大象在一定時間內可以吸取多少的水。結果顯示,在短短的 1.5 秒內,大象可以吸起驚人的 3.7 公升的水。透過超聲波觀測,科學家還發現大象的鼻孔最大可以擴張達 30%,鼻腔容積可以擴大 64%。這解釋了為什麼看似細長的象鼻,可以用超乎預期的速度吸水。

舒爾茲說,理解象鼻的運動機制,可以幫助人類在機器人應用上設計出更優良的結構;他也指出,盜獵和棲地破壞正在威脅象群的生存,人類可以透過研究象鼻更加理解大象,進而想出更好的大象保育方法。

連續文本

# 聽線上音樂也會污染地球？

什麼行為會造成地球污染呢？聽到這個問題，我們腦中可能會浮現一根根排放著黑色氣體的工廠煙囪吧！這些黑色的氣體裡頭含有對人體和地球有害的二氧化硫或是氮氧化物。但是你知道嗎？當我們用電腦或是手機來聽音樂或是看影片，也會造成地球的污染！大部分人或許會認為看影片、聽音樂，不再使用實體的唱片、DVD、錄影帶及錄音帶，可以減少塑膠製品的製造，對地球更環保；但若以「碳足跡」的角度來看，數位科技可能沒有你想像中的那麼「乾淨」喔。

什麼是「碳足跡」呢？我們對「溫室氣體排放量」的認知，是計算產品在製造過程中所排放出的溫室氣體，但是「碳足跡」的概念則是希望打破「有煙囪才有污染」的迷思，去思考一個產品從它原料的開發、製造、組裝、運輸、使用，一直到廢棄及回收，整個過程中的能量消耗與產生的溫室氣體。

雖然在串流平臺上聽音樂、看影片，能減少了塑膠製品的製造，但是這些串流平臺如：YouTube、Spotify、Apple Music，為了要儲存和處理龐大的雲端資料，他們的數據中心會耗費掉非常龐大的能源，像是需要具備大量的電力、硬體設備才能提供服務；加上要將資料從數據中心傳送到你我的電腦或手機，更增加了許多能量消耗。如今全球使用網路的人口已超過 40 億。加上網路費用低廉，人們可以不受限制的使用網路，每人平均一天花 400 分鐘上網。這些因素讓看似環保的音樂及影片串流平臺，製造出比過去任何時期都更加多的溫室氣體。

根據格拉斯哥大學（University of Glasgow）和奧斯陸大學（University of Oslo）的研究報告指出，在人們普遍使用黑膠唱片的 1977 年，全球共消耗了約 5,800 萬公斤的塑膠材料來做黑膠唱片，排放出約 1.4 億公斤的溫室氣體；到了 CD 蓬勃發展的 2000 年，全球共消耗了約 6,100 萬公斤的塑膠材料來製作 CD，排放出約 1.57 億公斤的溫室氣體；然而至 2016 年音樂數位化以後，在串流平臺下載及傳輸產生出來的溫室氣體就高達 2 至 3.5 億公斤。Mozilla 基金會在 2018 年發表的《nternet Health Report》中就指出：網路資料數據中心的碳足跡幾乎與航空業相同，約莫占全球二氧化碳排放量的 2%。也就是說人們上網對地球產生的污染，跟一整年內數以萬計的飛機產生出來的溫室氣體旗鼓相當。

但這並不代表我們要就此放棄使用串流平臺聽音樂或看影片，而是要讓更多人警醒：我們的科技還沒有發展到讓我們不再傷害地球的程度，我們仍必須致力於提升硬體設備，讓我們可以更有效的利用能源，同時也要尋求減少碳排放的綠色能源。而從另一個角度來看，試圖減少使用 3C 產品的時間，並且制定更合理、更環保的網路使用價格，改變人們的消費習慣也是一個方法，畢竟所有事物都有其代價，毫無節制終會有用盡資源的一天。

**Note**

家庭教育
# 另類出遊計畫

為了暫時擺脫工作、學業和電子產品的束縛，爸爸提議週末全家來一趟部落服務旅行。我和姊姊從來沒去過山上的舊部落，大呼萬歲。媽媽告訴我們，「服務旅行」不是單純的遊玩，而是能夠經由服務他人，理解不同的文化，擴大我們的視野，成為謙卑、關懷、能尊重他人的人。雖然聽不太懂，但聽說有很多有趣的活動，我就非常期待！在聯絡好部落的嚮導後，我們也開始準備旅行計畫，並製作成計畫表給全家人一起參考！

## 上午行程

| 時間 | 行程 | 爸爸 | 媽媽 | 姊姊 | 我 |
| --- | --- | --- | --- | --- | --- |
| 07:00-07:30 | 起床準備 | 做早餐 | 整理車子 | 清點行李 | 清點行李 |
| 07:30-08:00 | 早餐 | 吃早餐 | | | |
| 08:00-09:00 | 車程 | 導航 | 開車 | 放音樂 | — |
| 11:00-12:00 | 任務<br>營區設置<br>準備午餐 | 搭建<br>生態廁所 | 準備午餐 | 採月桃葉<br>與竹枝做餐具 | 午餐生火 |
| 12:00-13:00 | 午餐 | 吃午餐，並將垃圾妥善分類 | | | |
| 13:00-14:00 | 午休 | 休息 | | | |

## 下午行程

| 時間 | 行程 | 爸爸 | 媽媽 | 姊姊 | 我 |
|---|---|---|---|---|---|
| 14:00-17:00 | 任務<br>山屋清潔<br>與修復 | 採五節芒<br>更換山屋屋頂 | 採五節芒<br>更換山屋屋頂 | 打掃<br>山屋內部 | 打掃<br>山屋內部 |
| 17:00-18:00 | 任務<br>營區設置<br>準備晚餐 | 劈柴<br>準備營火 | 準備晚餐 | 協助<br>準備營火 | 協助<br>準備晚餐 |
| 18:00-19:00 | 晚餐 | 吃晚餐，並將垃圾妥善分類 | | | |
| 19:00-21:00 | 營火時間 | 分享今天的旅行與服務心得<br>自由活動 | | | |
| 21:00-22:00 | 盥洗 | 輪流使用簡易浴室盥洗 | | | |
| 2200- | 休息 | 收妥物品就寢 | | | |

# 電玩技能製作教程

## 招式效果描述

單體技能，角色對怪物施放後，無視怪物的防禦力，對怪物造成自身力量屬性 5 倍的傷害，同時將怪物擊退一定的距離，並造成 2 秒鐘的暈眩。

## 設計思考

★ 這個技能中，可以分為技能效果（傷害、暈眩）和動畫效果（擊退一定距離）。

★ 技能效果可以用簡單的數學計算完成。

★ 擊退動畫可以理解為：「讓怪物在一段時間內，從一開始的地方，一步一步的移動到指定的地方」。

## 步驟分解

1. 當角色施放技能後，對怪物造成 5 倍自身力量屬性的傷害。
2. 使怪物造成 2 秒鐘暈眩。
3. 根據角色位置與怪物位置，獲取怪物相對於角色的角度 A。
4. 設定每格動畫的移動距離 D、動畫的當前格數 I 與動畫的總格數 T。
5. 設定 D=50，I=1，T=30。
6. 設定 Y1 為怪物當前的位置。
7. 使怪物向角度 A 移動 D 距離，到達新的位置 Y2。
8. 判斷 Y2 是否位於不可進入的區域，若是，則讓怪物返回 Y1，並且結束運算。若否，則執行下一步。
9. I+1。
10. 等待 0.1 秒。
11. 判斷 I 是否等於 T，若是則結束運算，若否，則回到第 6 步。

閱讀心法

# 10

## 從形式理解文本

「我看文章只看內容!」你一定聽過有人這麼說。小心!千萬別和他一樣,因為他可能忽略了理解文章最重要的元素──形式。像是同樣是在「介紹產品」,「廣告」和「說明書」的內容一定不一樣;即使同樣是廣告,「紙本廣告」和「線上廣告」內容設計與呈現也會不同。你是否想過,就算同樣的一句話,在不同的場合可能就會有完全不同的意思,這是為什麼呢?

# 不像恐龍的恐龍

你看這個！
我哥告訴我：「我可以畫恐龍。」
可是……哪裡像恐龍啊！

嗯……看起來是有點奇怪。
但……

不過，「我可以……」有兩個意思！
一種是「有能力、能夠」，
另一種表示「可以試試看」，
還是要看你們之前還說了什麼。

我把我寫的故事給我哥看，
他說可以幫忙畫插圖，
還保證一定會符合故事內容！

不過圖畫有點奇怪耶，
樹林應該不會出現海豚吧！

# 形式表現能幫助理解

閱讀一篇文本，除了讀懂「內容」之外，辨識它的「形式」同樣也能幫助我們理解！我們用下面兩張圖來說明形式和內容的差別：

上方的國旗都由紅、藍、白三種顏色組成，它們有一樣的「內容」，但是「顏色排列的順序」截然不同，也就是說它們的「形式」顯然是不同的，也造就了不同的意義。我們可以把形式理解為「內容呈現的方式」，它包含了許多要素，例如排列順序、敘述風格、使用詞彙、視覺上的相對位置、使用的形狀和顏色，甚至是文體、功能等。

因此形式提供的文本訊息不一定比內容少，我們可以看看下面的例子：

我今晚需要去補習，但我非常想。

我非常想，但我今晚要需要補習。

這兩種回答方式給人的感覺有何不同？想一想，哪一個回答看起來比較有機會？僅僅是改動文句順序，效果就有很大的差別。由此可見，形式真的能影響內容呈現，理解文本的形式，也能幫助我們理解文本。

我們再看看下面兩張圖：

促銷訊息
品學堂《閱讀理解學習誌》限時優惠。
過季季刊任選 4 本，原價 720 元，
限時特惠價 499 元。

購買方式請上品學堂官網
www.wisdomhall.com
或電洽品學堂（02）23778111

**品學堂促銷訊息**
**《閱讀理解學習誌》**

限時
優惠　　**過季季刊任選 4 本**
原價 720 元·特價 **499** 元

購買方式請上　品學堂官網
www.wisdomhall.com
或電洽品學堂（02）23778111

兩張圖中的文本「內容」一模一樣，在順序上也幾乎沒有區別，但閱讀的感受卻大不相同。右圖改變了排列形式，並透過放大字體表現特定訊息，不僅讓人更容易快速掌握到重點，你是否也覺得，作為廣告傳單來說，右邊的形式表現也更容易驅使消費者購買呢？

想要理解一篇文本，內容分析與形式分析必須並重。內容就像人體的細胞，沒有細胞人就不可能生存；而形式則是這些細胞分工合作的方式，正是因為細胞以特定方式互動，人體才能正常的運作喔！

想一想，正確的答案是什麼呢？

- 作者是用什麼文體形式呈現文本？○抒情文　○說明文
  ○故事體　○記敘文
- 你認為作者選用這個形式能清楚表達主題嗎？○是　○否
- 針對文本內容，下列何者為非？　○伯爵的兒子什麼都學不會
  ○伯爵的兒子什麼都學不會　○作者想表達善用天賦也能有大成就

---

**某**位伯爵只有一個什麼都學不會的笨兒子，伯爵決定將他送往別的城市，跟著名師學習。

一年後，兒子回到家，伯爵問：「你這一年學了什麼？」他回答：「我學會了狗語。」伯爵非常失望，將他送到另一個城市。不料，青年再度回來時，竟說自己學會了「鳥語」。伯爵不死心，又將他送往第三座城市，結果這次青年學會了「蛙鳴」。

憤怒的伯爵將兒子流放到森林。失去一切的青年獨自在森林中走了很久，來到一座城堡，便請求主人讓他借宿一宿。

「可以，」城堡主人說：「你就住在塔樓吧。不過我警告你：那裡有很多惡犬，牠們甚至會吃人！」青年沒有選擇，只能接受。沒想到當他走進塔樓時，狗兒們非但不吼不叫，還友好的向他搖著尾巴。隔日，他對主人說：「那些狗告訴我，牠們中了魔法，被迫守護埋藏在城堡底下的財寶，只要有人取走財寶，牠們就能安靜離開了。牠們還告訴我取出財寶的方法。」於是主人按照青年所言，果然取出財寶，狗也不再叫了。

一天，青年聽到沼澤中的青蛙在悲傷的交談──原來是主教去世了。青年決定動身前往羅馬一探究竟。當他進入羅馬城時，兩隻鴿子飛到他的肩上。有教士看到這幅景象，認定青年是具有神力的天使；在教團的決議下，青年被推舉為新任的主教。青年猶豫著，不過鴿子在他耳邊細語，建議他答應。於是這位原來被眾人認定愚笨的青年竟成為了新任主教。

然而青年既不會對群眾說話，也不會主持彌撒，於是鴿子就一直坐在他的肩頭，一句句的教導他。

（改寫自《格林童話》）

# 國語的由來

想一想，正確的答案是什麼呢？

- **作者是用什麼文體形式呈現文本？**○抒情文 ○說明文
  ○故事體 ○記敘文
- **你認為作者選用這個形式能清楚表達主題嗎？**○是 ○否
- **針對文本內容，下列何者為非？**○國語是標準語言
  ○國語有助於國家治理 ○官方使用南方方言為國語

---

我們所熟知的「國語」全稱是「中華民國國語」，它是中華民國創立之初所議定的一種「標準語言」。所謂的標準語言，是指政府透過法律規範所制訂出來的語言；與之相對的是「自然語言」，指的是不同文化、族群的人們，為了生活溝通的需要，而自然而然使用的語言，例如閩南語、客家語，這些語言的出現都非法律所規定的，而是一群人長時間不斷使用，自然而然形成的。

國語乃是根據「中國北方方言」——主要是北京話——而制定。為什麼官方會選擇北方方言呢？主要與制定國語時，全中國的語言分布和使用人口有關。使用北方方言的人數占約當時全國人口的七成，且不同省分之間的語言多能互通。相比之下，南方方言的使用人數比不上北方方言的使用人數，且同一語系內的歧異度較高（例如閩語可以分成閩北、閩東、閩南等不同語言，彼此之間有些還差別很大），以及南方方言較難學習等因素，使得它們在國語的競選中敗下陣來。

國語的使用對國家治理有重大意義。因此，當國民政府來到臺灣後，為了方便管理、穩固統治，也開始在當時主要以臺灣閩南語（臺語）為主要溝通語言的臺灣大力推行國語。經過數十年的推動，國語終於成為臺灣使用人數最多的語言。與閩南語一樣，傳入臺灣的國語隨著時間的推移和文化累積，也逐漸形成與過去以及來源地不同的語言特色，而發展出如「臺灣國語」這樣的獨有語言情況。

據衛福部統計，臺灣在 2018 年約有十八萬名新生兒。其中，由醫師接生的比例占了 99.9%，僅有 0.065%由助產士協助接生；然而 100 年前的日治時期，婦女生產時，大多會選擇產婆或經驗豐富的鄰居協助在家生產。為什麼在這 100 年間，會有這麼驚人的變化呢？在 1996 年衛生署的公文中提到造成此現象的原因：科學知識的累積與普及，使民眾更願意接受專業醫療的服務，導致助產士逐漸沒落。

仔細研究之後，可以發現這樣的說法只看到了結果，卻沒有注意過程發展。以現今臺灣，醫學與護理教育系所已經都有了碩博士的學位課程，但助產教育卻遲遲沒有進入高等教育體系。而且在早期的醫療保險中，助產士接生大多不納入給付範圍；1983 年，衛生署甚至公告「助產士必須在醫師的指導之下才能擔任接生工作」的行政命令，把原先法令規定能夠獨立作業的助產士，強制納為醫師的助手。此項行政命令雖然違反當時的《助產士法》，但卻行之有年。在國家的主導下，民眾漸漸產生「生產很危險，需要有專業醫療來協助」的印象。

事實上，由助產士接生並不會更加危險，荷蘭、法國、丹麥、瑞士等歐洲國家，由助產士接生的新生兒比例還超過 70%。且在一般的情況下，新生兒大多可以由產道自然生產，如果交給專業醫療，醫院為了預防各種可能的風險，或許會提高大量醫療介入的可能，如：注射針劑、剪開產道、或是剖腹生產等。這些侵入式的醫療行為，有時反而可能對產婦造成更嚴重的健康危害，同時造成醫療資源的浪費。

再加上為了提高工作效率，醫護人員有時難以在事前向產婦解釋目前面臨的狀況，造成雙方之間溝通不佳，產婦多數只能「被決定要採取什麼措施」。而助產士一對一的服務，能適當的利用助產資源，像是呼吸調節、按摩、輕聲對話、泡澡、瑜珈球、姿勢調整……等，讓產婦在懷孕與生產的過程中，學習與自己的身體相處、充分發揮自己的能力，並且重新取回對自己身體的決定權。在這樣的情況下，產婦能感受到更多溫暖與支持，而不是冷冰冰的醫療標準作業流程。另外，若開放法規限制，不強制由專業醫師來主導接生，可以有效解決城鄉的醫療資源差距，改善在偏鄉地區難以找到一位婦產科醫生的困境。

此外，助產士的行為與形象，也能讓眾人看見更多不同的性別氣質。若由男性擔任助產士，可以打破男女授受不親的刻板印象；而若由女性擔任助產士，也能展現獨立作業、

冷靜判斷並處理各種狀況，這些原先普遍被認為是男性的陽剛特質。基於助產士在各方面的優點，目前有許多推行婦女權益的社運團體呼籲：與其為母親的「奉獻」歌功頌德，不如實際提供婦女們更友善的生產環境與更多的選擇，讓「多元友善的生產資源」成為檢驗社會是否尊重母親的重要指標。

註解：
· 1943 年訂立《助產士法》，助產士可獨立進行接生作業。2003 年《助產士法》修為《助產人員法》，將助產人員分為：「助產師」、「助產士」，「助產師」 需具備護理背景。

Note

# 新冠肺炎讓人憂鬱？

有相關研究指出，心理疾病患者的行為模式會增加罹患新冠肺炎的風險，例如過動症患者，他們可能會因為注意力不集中而忘記戴口罩、與人群保持距離。另外憂鬱症患者可能的精神狀況或許會導致他們忽略保護自己或尋求醫療協助，而思覺失調症患者，有可能會因為妄想症狀而排斥使用口罩。

透過數據統計，憂鬱症、思覺失調症、躁鬱症患者平均的吸菸人口數量也比一般人來的高，而罹患肺部疾病容易增加罹患新冠肺炎的風險，其中吸菸容易增加感染肺炎的機率更已經被科學家證實。

同時，有心理疾病的肺炎患者死亡率，也比沒有心理疾病的肺炎患者來的高，這是由於心理疾病患者對於環境變化高度敏感，讓他們不容易面對新冠肺炎大流行所引發的壓力、孤獨感以及不安感，這些負面情緒都有可能導致肺炎的惡化。

然而心理疾病患者容易罹患新冠肺炎，究竟是由於他們的行為，還是是其實是由於他們的生理因素？另一項研究對此提出別的看法：心理疾病患者容易罹患新冠肺炎的原因是由於他們併發的慢性疾病，患有慢性疾病的人是感染新冠肺炎的高風險群，諸如癌症、心血管疾病、慢性腎臟疾病、慢性呼吸道疾病、哮喘，而這些是精神疾病患者常見的併發症，根據對美國全國電子健康記錄數據庫的分析，被診斷出有精神疾病的患者跟沒有精神疾病的患者相比，感染新冠肺炎的機率及死亡率都更高。

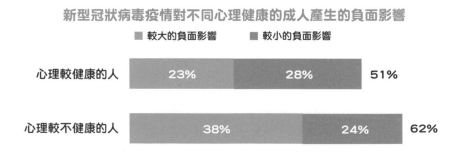

新型冠狀病毒疫情對不同心理健康的成人產生的負面影響

■ 較大的負面影響　　■ 較小的負面影響

| | 較大的負面影響 | 較小的負面影響 | 合計 |
|---|---|---|---|
| 心理較健康的人 | 23% | 28% | 51% |
| 心理較不健康的人 | 38% | 24% | 62% |

此外，研究也指出，新冠肺炎患者也時常伴隨著神經系統的併發症，例如混亂或是暈眩。學家們懷疑，新冠肺炎導致的呼吸道受損，會減少大腦所需要的氧氣，造成腦部受損，同時新冠肺炎也會破壞患者的睡眠規律，導致失眠而讓患者憂鬱及焦慮的狀況更加嚴重。

儘管聽起來煞有介事，我們卻應該將焦點放在另一個目標上。

新冠肺炎的流行，是否造成罹患心理疾病的人口增加呢？根據美國國家衛生統計中心的數據顯示，與 2019 年上半年相比，2020 年上半年有憂鬱或焦慮症狀的人口大幅增加。新冠肺炎與心理健康的關係，已經是新冠肺炎席捲全球以後，世界各地的人都嚴肅看待的議題。

新型冠狀病毒流行 讓人產生焦慮與憂鬱症狀統計

■ 2019年1月-6月　■ 2020年5月

- 出現焦慮症狀：8.2% / 28.2%
- 出現憂鬱症狀：6.6 / 24.4%
- 出現焦慮或憂鬱症狀：11.0% / 33.9%

疫情爆發期間，無論是不是患者，都必須要與外界保持著隔離，如學校的課程改成線上教學，在辦公室需要處理的工作改變成在家裡處理，這種長時間的隔離，會讓人產生強烈的孤獨感，容易引發一個人焦慮以及憂鬱的情緒，對於身心健康都會造成不良影響。

其中影響最大的非第一線的醫護人員莫屬，隨著全球各地疫情爆增，確診病患越來越多，更讓第一線的醫護人員備感壓力。在這種高壓的工作環境下，醫護人員普遍感受到沮喪、焦慮與心理壓力。根據調查，對於新冠肺炎的擔心與壓力，造成有 64% 的醫護人員及他們的家屬，出現了失眠、進食困難、酗酒而濫用藥物的行為。

新冠肺炎的大流行，已經造成全世界數以百萬的失業人口。許多人在失業的過程承擔著苦惱以及自卑的情緒，出現失眠及進食困難的症狀，同時也出現酗酒及濫用藥物的行為，也導致抑鬱症、焦慮症以及自殺人數持續增加。

# 火災逃生計畫

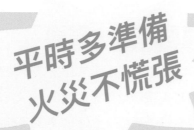
**平時多準備 火災不慌張**

為了在火災發生時能快速且妥善的應變，家戶可以制定火災逃生計畫，並繪製家中逃生平面圖。一張好的逃生圖應該包含以下要素：

**室外集合地點**

**為每間房間安排逃生路線**

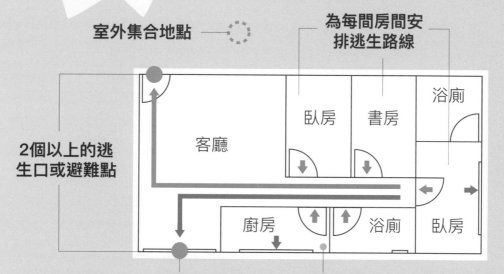

**2個以上的逃生口或避難點**

客廳　臥房　書房　浴廁

廚房　浴廁　臥房

若裝設鐵窗，應於鐵窗上設置逃生口並確保家人知道鑰匙放置處

設置滅火器等消防設備，平時做好維護保養工作。

除了繪製平面地圖之外，平時也要做好以下工作：

將逃生計畫張貼在明顯處

每6個月進行一次逃生演練

確保家人知道火警報案程序
995
119　999

任何防災法規與知識，可上政府宣導網站查詢。

閱讀心法

# 11

# 帶著立場閱讀

每個人看到同一件事，可能會有不同的看法；讀到同一本書，會有不同的心得，為什麼會這樣？因為閱讀是自己與文本的交流的時間，雖然文本相同，閱讀者卻不同，想法也因此不同，所以就不能避免差異！只是，我們要如何找到一個雙方都接受的答案？真的有一個唯一的、正確的標準解答嗎？

# 三隻小豬是壞人？

# 用自我覺察與監控跳出作者的框架

　　你有沒有這種經驗：與人溝通，對方怎麼樣都無法理解你的想法，而你也完全不知道他為什麼會這樣思考？或是明明兩的人看的是同一部電影，但是走出電影院時，兩個人對於電影的評價卻天差地別？遇到這種情況時，你會怎麼做？是停止討論，還是會追問對方「為什麼？」，並耐心聽他把理由說完？

　　其實每個人在閱讀或是觀看文本時，本來就會有不同的詮釋和想法。我們會依據自己的經驗和立場，思考眼前的新事物，就像是宋晶宜的〈雅量〉一文中所描繪的，每個人都對眼前綠底白格子的布料發表看法，對圍棋有興趣的人認為它像棋盤，愛吃的人認為像綠豆糕，作者則認為像稿紙。

　　每個人之所以會對眼前的布料有不同的看法，與每個人的知識與經驗差異有關。作家因為平常生活寫作的關係，看到白綠相間的布料，很自然的會聯想到最常接觸的稿紙；而與美食為伍的大食客，當他看到未知的事物，也會將它和自己所熟知的食物做比較。

　　我們的思考經常受到經驗、身分和擅長的領域所影響，只是大部分人很少察覺，也很少意識到自己與他人想法的不同可能是來自於生命經驗的不同。這些思考並沒

有絕對的對錯，一旦我們開始跳出自我原本的經驗限制，也就不必侷限於是非爭論，而能更宏觀的理解一個人的行為和思考背後的原因，進而找到合作或包容的突破口。

回到閱讀文本上來說，也能應用這個概念，在面對眼前的文本時，跳出習慣的思考方式，也許能試著用不同的立場思考，像是站在作者的立場，想一想為什麼作者會這麼書寫，而不是單純接收作者給的訊息；又或是站在與自己立場的對立面，讀一讀文本，或許能因此看到先前所忽略的訊息，發現閱讀的樂趣。文本閱讀和與人交流都是「我與外界的不斷對話」，不僅幫助我們接受外部的資訊，還能夠促使我們不斷的省思自我，讓自己更加完善。現在就試著用不同的立場去閱讀吧，相信會為你開啟不一樣的閱讀新世界喔！

想一想，正確的答案是什麼呢？

- 作者想透過文章表達的是什麼？○蘇格拉底覺得自己不聰明
  ○蘇格拉底覺得神諭是騙人的 ○蘇格拉底檢驗事物的想法與過程
- 讀完文章後，你認為蘇格拉底為什麼要檢驗神諭？

───────────────────────────

蘇格拉底的朋友凱瑞豐有一次到德爾斐祈福時，向神問了一個問題：「世上有比蘇格拉底更聰明的人嗎？」女祭司解釋神諭，告訴凱瑞豐：「沒有。」

蘇格拉底聽聞之後，覺得很疑惑，因為他認為自己只是一個普通人，怎麼可能沒有人比自己更聰明呢？於是他想了一個辦法，那就是去與那些有智慧的人交談，如果能找到比自己更聰明的人，就可以檢驗神諭，證明神諭是錯的。

他先找到了政治家，與他討論一些關於智慧的話題。不過蘇格拉底很快就發現，這位政治家並沒有他以為的那麼聰明。而且，與自己不同的是，這位政治家對於不知道的事物仍能暢所欲言，並不知道自己對某些事物其實一無所知。於是蘇格拉底便向政治家告辭了。

接著，他找到吟遊詩人。他覺得這些詩人創作過許多膾炙人口的篇章，一定很聰明，蘇格拉底甚至帶了他們的作品前去討教其中的意涵。不料，這些人對於自己寫過的東西其實一知半解，不知道詩句寫了些什麼，倒是其他人講得頭頭是道。於是他得出結論：這些詩人不是靠智慧創作的，而是靠「天分」和「靈感」。

最後，蘇格拉底去拜訪工匠。令蘇格拉底失望的是，這些工匠也犯了一樣的錯誤：儘管他們在自己的領域相當精湛，但似乎都不能接受自己對另一些事物的無知，非得要裝作自己懂得所有事情一樣。

由於蘇格拉底在檢驗神諭時，也同時指出了這些人思考上的錯誤，因此招來許多怨恨。最終，蘇格拉底受到毀謗，在雅典人的投票下，被判處死刑。

（改寫自柏拉圖《申辯篇》）

想一想，正確的答案是什麼呢？

- **作者認為 Cosplay 是一種流行活動嗎？**○是 ○否 ○不確定
- **Cosplay 只存在於日本嗎？**○是 ○否
- **讀完文章後，你認為 Cosplay 是什麼？**

_____

Cosplay（日語：コスプレ，Costume play 縮寫，意為角色扮演或扮裝），是一種利用妝容、服飾、道具搭配等元素，扮演動漫、遊戲中人物角色的表演藝術行為。廣義的「扮裝」活動可以追溯到神話時代，人們透過在節慶上透過扮演傳說或故事中的角色，增添節慶的氛圍；而比較狹義的 Cosplay 則指 1980 年代在日本興起的「動漫扮裝」。

不過，Cosplay 的差異性並不只存在古老的歷史與新興的流行之間，即使在以動畫或漫畫角色為扮演對象的 Cosplay 圈子中，分歧也仍然存在。例如：一些扮裝者將扮裝純粹視為對角色外型的模仿，甚至在外型上也不需要全盤複製，僅需選擇角色具有代表性的外型裝扮即可。但在另一群扮裝者眼中，扮裝除了是外型的重現之外，可能還包含心理、行為、談吐上的模仿，務求從內到外都「忠於原著」。還有一些人則或許會說：扮裝者除了貼近原角色，也可以按照自己的經驗和意願加入新的元素，豐富自己的裝扮。

從扮裝的發展和現今的 Cosplay 圈內的差異，我們可以看出：雖然都是扮演特定故事中的角色，但不同的時代、人或群體，對於「扮演」卻有不同的解讀，諸如該扮演什麼？應該扮演到什麼程度？扮演行為對扮演者有什麼意義？

這些差異代表了個人對於事物的認知，而接受這些差異的存在，則代表了對個人自由的尊重。所以，無論你是不是 Coser、是哪一種 Coser，在這項活動中，我們似乎都能得到同一種正向的啟示。

生命教育特刊號 　　　　　　　　　　　　　西元二〇二一年八月八日

## 威廉布朗號事件

　　1841 年 4 月 19 日晚間 10 點，「威廉布朗號」（William Brown）撞上冰山。船上共載著 65 名乘客，以及 17 位船員。船上共有 2 艘救生艇，一艘是可容納 10 人的小艇，另一艘則是可容納 24 人的大艇。

　　小艇很快就載滿了人，另外 41 人擠上了大艇，早已超過它能乘載的重量。再加上救生艇破損，隨時可能沉沒。最後大艇中的 41 個人中，有 14 人被丟下海。根據水手的說詞，大副命令水手選人的時候，「不要選夫妻，也不要選女人。」在 1842 年，其中一名船員威廉赫姆斯（William Holmes）因為「於公海犯下非預謀殺人罪」而被判刑。

　　在課堂上，老師給同學們閱讀當年震驚國際的「威廉布朗號事件」報導。同學們閱讀了資料以後，分別發表他們對於水手把乘客丟下海的看法。

**小坤：**「我認為船員的行為是合理的，他們把這十四個人丟下海，不是真的想殺人，而是為了避免讓更多人死亡。如果最後救生艇沉了，這十四個人還是無法倖免，而且還會搭上其他二十七條人命。」

**小志：**「殺人是不道德的，除非把人丟下海是讓全部人獲救的唯一選擇。可是我不認為當時的狀況有那麼緊急。如果狀況緊急，他們應該會是『先抓到誰，就把誰丟下海』，根

本沒有時間讓他們去想要『選誰丟到海裡』。可是我們從水手的證詞中可以知道，當時大副命令『不要把夫妻，還有女人』丟下海，顯示他們還有時間挑人。而且，奇怪的是，最後沒有一個船員被丟下海，他們拋下乘客，其實是為了讓自己活下去。但是船員的專業和職業道德不就是即使面對危難，也要保障乘客的安全嗎？最後，根據其他報導，從第一個人，到最後一個人被丟下海，中間隔了六個小時。當時救生艇的狀況，好像沒有水手們以及大副口中說的那麼緊急啊。」

**小坤**：「在搖搖欲墜的救生艇上把專業船員丟下海，才是不顧乘客安全的行為！如果大副沒有覺得救生艇隨時都會翻覆，他為什麼要下令把乘客丟到海裡？我們現在不是坐在那艘在狂風下搖搖欲墜的救生艇上，才可以這麼冷靜的評估當時的狀況是不是很緊急，但是當海水每分、每秒都灌入超載的救生艇時，這些水手們根本沒多少時間思考。他們當下的想法就是：要是不趕快減輕救生艇的重量，全部人都要死在大海裡了。沒有任何一個善良的人想把另一個人給丟下海，一開始他們只是想說丟一個人看看情況會不會好轉，也許情況稍微好了一點，但是過不久破損的救生艇狀況又變得更差，他們迫不得已就只好再丟一個人，以當時的狀況，他們根本無法知道丟多少人能讓他們平安，但他們也希望盡量能丟少一點的人，所以才會拖那麼久的時間。」

**小明**：「我覺得你們都忽略了一件事：人的生命是不能被計算的，每個人的生命都是無價的。我們不能為了救一群人而決定殺掉少數的人。我們或都同意一個人犧牲自己的生命去拯救別人是高貴的行為，我們也都會同意為了自己的好處而傷害別人是錯誤的事。那為什麼我們會同意為了多數人的性命，就有人必須被當作貨物一樣丟棄到海裡？拯救另一個人不是傷害他人的藉口，我們沒有人有權利可以決定誰可以死，誰可以活。如果是我，我不願意犧牲別人活下去，我寧可相信自己的運氣，救生艇不會翻覆，或者下一秒救援船就會出現。」

新郵件 _ □ ✕

**您聽過「掃盲日」嗎？**
**誠摯邀請您，98 一起來，世界亮起來！**

聯 合國教科文組織（UNESCO）自 1945 年成立以來，一直致力於透過教育、科學、文化等項目，促進國際間的交流與合作，以達到和平、增進人權等目標。

人類主要靠語言和文字來學習，並與他人溝通，因此一個人識字的能力，對他受教育的機會和參與社會的能力有很大的影響。為了提升全球識字率與教育公平性。聯合國教科文組織於 1966 年宣布，自隔年起，每年的 9 月 8 日為「國際掃盲日」。

經過多年的努力，2019 年全球 15 歲以上人口的識字率已經達到 86.48%，相較 1976 年的 66.92% 是非常大的進步。不過，這並不代表世界上大部分地區的人都能夠閱讀了！在經濟相對落後、教育資源匱乏或是發生戰亂的南亞、中東、非洲，或者交通不便的偏遠地區，人們識字率可能還不到 50%。

身處和平繁榮地區的我們，除了一面懷著感恩的心求知與學習，同時也要能夠放眼世界，關懷弱勢的他人。因為知識讓我們擁有能力和視野，而這些，應該用來保護與幫助那些需要的人。為此，我們邀請大家一起來參與行動，讓我們的力量，成為他人的光。

### 行動 1
#### 對世界呼籲
填寫連署書,讓我們向聯合國與國際單位表明我們堅決捍衛世界經濟和教育公平性的立場。

**填寫請願書**

### 行動 2
#### 將知識延續
將家中不再閱讀的藏書交給我們,我們會依據語言與適讀年齡分類,交給相關單位送到各國學童手中。

**捐贈書本**

### 行動 3
#### 讓種子發芽
成為我們的贊助捐款人,讓我們更有能力提供國內偏遠地區及弱勢學童充足的教育資源與協助。

**贊助人方案**

### 行動 4
#### 向朋友推薦
我們也歡迎您分享我們的資訊,讓更多的人知道我們在做的事,讓大家一起參與,點亮世界!

**分享給朋友**

有任何疑問或建議,請點選連結 wisdomhall101@gmail.com
來信與我們聯繫,謝謝您的閱讀!

法治教育
# 竊賊

一、

一對夫妻正在搭電梯上樓，聊著剛剛的晚餐以及妻子腹中正要出世的孩子，言談間充滿歡樂與期待。

到了家門口，丈夫的神經突然緊繃起來。身為前任的特戰隊隊員，他的直覺告訴他危機將至。屋內漆黑一片，他要妻子靠著牆，然後自己伸手去開燈。

他看到客廳有許多不尋常的痕跡，顯然有人在他們外出這段時間闖了進來。房子很小，他很快看到那扇關著的、可疑的浴室門。他的心臟彷彿觸火一般劇烈的顫動。

「噓……」在碰上那暗暗生著綠鏽的門把之前，丈夫特意回過頭看一眼焦急的妻子。

二、

年初，他告別了安身整整十三年的監獄。他一無所有，除了那些不太光彩的技術還有企圖。他打算轉換跑道，重新做人。

好不容易，有間工廠願意僱用他當操作員。他整天盯著那些機器，放料、造粒、分袋，薪水也按月流入他的戶頭。可是日子一久，他實在覺得無聊。更令他難受的，是同事偶爾投來的異樣眼光。一天，老闆通知他隔日不用再來上班了。這份工作是他唯一獲得的機會，如今，也對他關上了門。

他只好重操舊業。這天他要同伴把風，自己偷偷潛了進去。房子不大，從擺設來看，屋主大概是年輕夫婦。他翻到一對戒指，是夫妻兩人的婚戒。他看著晶瑩閃爍的鑽石，心想今年真是個好年。

他一時忘了自己的處境，陷入了沉思：自己如果也能結婚，生個孩子，該有多好啊……

三、

今天，他從同事那裡聽說，昨天闖空門的竊賊去世了。他腦中立刻浮現那名竊賊的臉，以及浴室內一片狼藉，即使沒有流血卻充滿死亡的氣息景象。然而更揮之不去的，是他到達現場時，首先看到的那個懷有身孕的女子，臉上茫然驚恐的神情。

「防衛過當，法官又要傷腦筋了。」同事端著一杯咖啡，悠哉的在他身邊坐下來。

所內現在變得很忙碌了，他找到當事人的資料。死者四十五歲，有多起竊盜前科，十三年前因強盜罪入獄，今年初獲假釋出獄。屋主三十四歲，海軍陸戰隊退伍，深諳格鬥

搏擊技巧，房子是租的。屋主的妻子身懷六甲，將在下月臨盆。

他想起昨天男人話語中的焦躁，以及女人眉間的憂愁。男人對他說：「如果我不這麼做的話，我的老婆小孩怎麼辦？」他記得自己當時沒什麼反應，匆匆勘驗完，便回派出所準備下班。

如今，他想到深高冰冷的法庭，對於男人提出的問題，終於感覺到語氣中的痛苦，但此時此刻，他依然不知道該怎麼回應才好。

四、

「最好你家被入侵還可以這麼冷靜！」

「你認為屋主能承受妻兒受到傷害的後果嗎？犯罪就是犯罪，悽慘的背景不是脫罪理由！」

「下次最好輪到你！」

發表才短短六個小時，這篇文章已經湧進超過 200 筆留言，雖然已經司空見慣，但心裡仍是不太舒坦。這起屋主為保護家人、失手殺死闖空門竊賊的案件，網路輿論幾乎一面倒的認為屋主屬於正當防衛，指責竊賊與檢方的愚蠢。但他的專業知識和倫理卻有不同看法。畢竟，竊賊在他眼中依然是人，他的生命應也值得仔細審視。

他很難同意那些以「堡壘原則」支持屋主有絕對合理權力對竊賊動武的論調。歐美的堡壘原則是西方歷史演變而來的產物，屋主有權對於侵入自宅者使用武力。但臺灣法律已有對侵入住宅罪的規定，他不認為網友的說法恰當。

他這一生中經歷過無數法庭，替許多人辯護，但他此刻不禁捫心自問：世界上有沒有一種罪，在開庭以前就已經被定奪？又有沒有一種罪人，在為自己辯護以前，就無法再為自己辯護？

# 12

# 閱讀世界的無限文本

在學習了各種閱讀的方法與整理工具後,你是不是對如何解讀
各種文本不再畏懼了呢?

所有帶著訊息的東西都能被閱讀,也都是文本。在資訊爆炸的
時代,資訊將以什麼樣子現身已經無法預測,所以我們要做
好面對不同文本的心理準備。每一種文本都有意義,也有許多
工具或是技巧可以讓我們學會去解讀。雖然不能「畢其功於一
役」,但是,只要掌握正確的技巧和心態,我們就能更快速的
適應未知的未來。

# 該選什麼工具？

# 世界萬物皆可讀

在本書第一章中，我們一開始便說：我們閱讀的不只是文字，而是訊息。所有帶著訊息的東西都能被閱讀，也都是文本，我們閱讀的對象是訊息和文本，而其中最大、最終極的文本，就是我們所處的世界。而我們閱讀的目的，則是如何在這個世界上生存、實現自我。因此，先前學過的任何觀念和方法，都不應只限應用於課本和考試。

試著把所學到的知識，應用到「閱讀世界」……

天上密布的雲，代表待會可能有雷雨；草叢中窸窣的聲音，或許是危險正在靠近；烏雲加上颳大風，有可能是颱風來臨的前兆；公車站的告示牌則標示行車資訊；籃球場上傳來「咚咚咚」的球聲與加油聲，代表可能有一場球賽正在進行，場邊有一群人在幫忙打氣。我們可以運用找到密布的雲與雷雨的因果關係，也可以從聲音來歸納、判斷出究竟是是危險，還是球賽進行中的分別。

我們從閱讀各式各樣的訊息的過程中，試著理解文本，想辦法釐清之中的關係與脈絡，並感受作者所表達的意涵、人物情感或是道理，然後思考出自己與文本

呈現的價值觀與立場是否有異同之處，做出選擇，決定是否吸收其中意涵，慢慢建立自己的思考模式。

「閱讀世界」從古代就已經存在。在古代，人們還沒有文字可以記錄時，他們也是靠著閱讀周遭世界的一切事物來獲得訊息，判斷下一步該怎麼行動。一般人民從自然的現象中擷取訊息、思考並做出有利生存的行動；名臣良將靠著閱讀各種訊息，幫助皇帝取得天下，有人功成身退，有人拜相封侯，他們閱讀的也不是文字，而是人心與歷史的教訓。證券交易所裡的投資客緊盯螢幕，企圖在龐雜的消息與數據中找到蛛絲馬跡以做出成功的預測，多數人祈求一朝富貴，可不免總有人傾家蕩產，這也是閱讀訊息後理解並做出選擇的結果。

我們閱讀的對象是訊息和文本，而世界是最大、最複雜的文本；我們閱讀的目的，則是如何在這個世界上生存、實現自我。

覺得「閱讀世界」很困難嗎？也許可以先從一些生活的事務開始，將這些閱讀心法應用在書本之外。像是如何把食譜變成一道佳餚？如何前往一個從來沒有去過的地方？如何了解一個社會議題？如何得到自己理想的工作？如何理解他人的感受，給予適當的幫助？如何找到自己、變成更好的人？

這些紙本書籍的閱讀終究會闔上，而世界，會接著在你眼前展開。

請你找出這幾種訊息，並想一想正確的答案是什麼呢？

- **孔子真正想告訴其他弟子的是：○推己及人 ○子夏非常貧窮 ○子夏十分敬重孔子**
- **你贊成孔子的作法嗎？為什麼呢？**

---

孔子是中華文化中儒家的重要思想家，他的弟子眾多，其中成就出眾者有七十二人。弟子們將他日常與人互動的言行記錄下來，寫成了《論語》，其中有一則深具啟發性的故事。

一天，孔子外出時遇到下雨，雨勢來得又快又猛，一行人全沒有準備。剛好孔子的一名學生子夏就住在附近，於是就有弟子向孔子提議：「子夏好像住在附近，不如我們去和他借傘吧！」這是一個最實際的辦法了，許多人都表示贊同。

但是，孔子聽完這個方案之後，並沒有答應。他搖搖頭，對弟子們說：「還是算了，我們走快一點吧！」弟子看到老師的反應，覺得很奇怪，問道：「老師為什麼不去向子夏借傘呢？您是老師，他一定會借給您的啊！」

孔子回答：「正是因為這樣，才不能去向他借的。子夏的家裡比較貧困，對於財物非常愛惜。我去向他借傘，如果他因為我是老師而借給我，心裡一定捨不得雨傘，而感到不舒服；如果他因為愛惜財物而不借給我，別人又會說他吝嗇、對老師不敬，這不是讓他進退兩難嗎？我們與別人交往，就要知道對方的短處，考慮對方的心情和感受，避免讓他陷入這樣難堪的境地啊。」

眾弟子聽完孔子的教導，恍然大悟。而孔子這種推己及人，時刻為他人設想的「仁」的精神，不只是他思想的核心，也成為後來儒家思想中在無論人際相處，或治國理政中一個重要的概念。

（改寫自《論語》）

請你找出這幾種訊息,並想一想正確的答案是什麼呢?

- **這篇文章想要表達的是:○疫苗的種類 ○施打疫苗說明書 ○病毒非常可怕**
- **關於這篇文章,下列何者為非?○新冠疫情尚未減緩 ○作者認為 mRNA 疫苗最好 ○目前共有四種疫苗類型**

新型冠狀病毒疫情自 2019 年末爆發以來,經過將一年多的時間,似乎都不見退燒的趨勢。各地除了既有的防堵、治療等策略之外,研究單位也與藥廠積極合作,開放足以對抗病毒的疫苗。不過,關於這些疫苗的種類,你知道多少呢?以下是幾種常見的疫苗類型:

一、全病毒疫苗:

　　是一種較傳統的疫苗製作方式,使病毒株失去活性或殺死病毒,再將其送至人體,刺激人體免疫系統。其優點是製作簡單,能產生較高免疫力;缺點則是風險較高,若病毒減毒不完全,可能引發感染。

二、蛋白質次單元疫苗

　　利用基因重組技術,製作與病毒表面相同的棘狀蛋白,打入人體,讓免疫系統產生免疫反應。這種疫苗發展歷史較久,成份單純,安全性高,不過製作上相較於前者繁複。

三、病毒載體疫苗 —— 腺病毒疫苗:

　　將一段製造病毒表面棘狀蛋白的 DNA 放入無毒性的腺病毒中,注入人體啟動免疫反應。這種疫苗的製程較快,可以對疫情作出反應,但因為人體對腺病毒本身可能有抗體,可能會影響到疫苗施打的效果。

四、mRNA(信使 RNA)疫苗

　　將能製造病毒表面棘狀蛋白的 mRNA 送至人體,使人體製造棘狀蛋白,誘發免疫系統攻擊與記憶此類病毒蛋白,產生對病毒的免疫力。mRNA 疫苗的優點是生產快速,但因為 RNA 在室溫下容易變質,保存條件較為嚴苛,保存期也較短。

文本一：

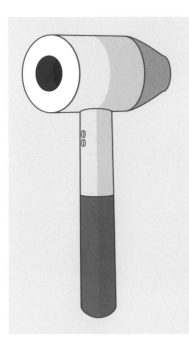

**WISLIFE FASHION HAMMER 2**
充滿力量的吹風機

• 魔髮科技，吹髮速乾增加光澤
• 自動控溫，防止高溫傷害頭皮
• 多重配件，你的風格由你決定

適用電壓：100–240 V（伏特）
頻率：50–60 Hz（赫茲）
功率範圍：1400–2000 W（瓦特）
原產地：日本

文本二：

| 國家或地區 | 電壓（V） | 頻率（Hz） | 插座 |
| --- | --- | --- | --- |
| 中國 | 220 | 50 | A、C |
| 香港、澳門 | 220 | 50 | D |
| 臺灣 | 110 | 60 | A、B |
| 日本 | 100 | 50 | A |
| 韓國 | 220 | 60 | C |
| 新加坡 | 220 | 50 | D |
| 馬來西亞 | 240 | 50 | D |
| 越南 | 220 | 50 | A、C |
| 泰國 | 220 | 50 | A、C |
| 印尼 | 127、230 | 50 | C |
| 汶萊 | 220 | 50 | D |

插座類型

A
B
C
D

文本三：

## 用電安全須注意！

如果同時使用太多電器，造成電路瞬時電流過大，超過負載，可能會使電線熔斷，引發火災！

如何知道電器會產生多少電流？

某些電器會標明電流，如果沒有標明，可以使用電器的電壓和功率來估算。

公式為：功率＝電壓 × 電流

例如功率為 1500W 的烤箱，如果使用 100V 的電源，會產生 15A（安培）的電流。

海洋教育
# 向自然學習：海洋仿生學

若要形容個人品格高潔，常會用「出淤泥而不染」這個成語來描繪。荷花與荷葉皆從水底的淤泥中生長出來，但表層卻保持清純潔白，沒有沾染到半點的污泥，就如同君子在污濁的環境中仍能保持品德。不過，和國文老師相比，科學家更關心荷花不被污染的原因。經過研究發現，因為荷葉的表層有著許多直徑在 100 奈米左右的的「乳突」，當液體接觸由到荷葉上這些密密麻麻的乳突時，會停留在乳突上而不會往下流，同時內縮成為球型水滴滾落，液體就不會殘留在荷葉上。這個原理被發現後，也被應用在許多地方，例如不會髒的衣服、鞋子等。

這種從大自然取得靈感的技術叫作「仿生科技」，已經成為現在科學界的寵兒。「仿生科技」中有一個特別的領域稱為「海洋仿生學」。由於地球的表面有 75% 被海洋覆蓋，海洋中還許多生物為了適應生存環境，自然衍生出許多奧妙的結構，這些智慧都等著人類去探索。

其中最有名的海洋仿生科技，就是幫助游泳選手菲爾普斯（Michael Phelps II）在 2008 年勇奪八面金牌的「鯊魚泳衣」。科學家們從鯊魚身上研究出鯊魚游得快的祕密。從前人們一直認為，皮膚的表面越光滑越不會阻擋水流，也會游得越快；但是後來科學家們發現，皮膚粗糙的鯊魚反而游得比皮膚光滑的海豚還要快，這裡頭到底有什麼樣的祕密？原來鯊魚粗糙的表皮是由整齊排列的 V 型摺子所組成，當鯊魚游泳時，這些 V 型摺子會協助擠壓流過摺子的海水，進而形成一股推力。

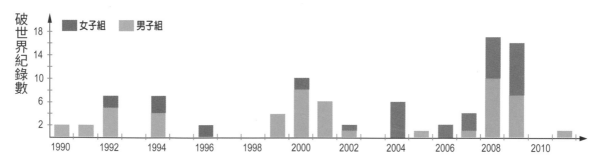
表：歷年長距離自由式打破世界紀錄統計

自從鯊魚泳衣在 1999 年發明之後，許多游泳選手在鯊魚泳衣的幫助下打破許多紀錄。不過在運動員獲得空前成功的同時，這種「鯊魚泳衣」卻飽受爭議，有人認為它違反「游泳運動不該倚靠外力協助」的精神，因此鯊魚泳衣就在 2009 之後，被國際泳聯（FINA）禁止使用，更立下禁止使用高科技泳衣，以及泳衣必須為紡織品的規定。

　　另一個有名的海洋仿生科技是「石鱉盔甲」。盔甲製作最困難的地方，就是要在「靈活度」和「防禦性」之間取得好的平衡。像是中世紀的盔甲，雖然有足夠的防禦力，但是穿戴起來卻很笨重；而日本武士的輕裝盔甲，雖然靈活度比較高，但是防護力較低。

　　於是外殼酷似盔甲的石鱉引起了科學家的注意：為何石鱉有著堅硬的外殼，同時又能夠保有靈活的移動？原來，石鱉的外殼具有「著互鎖結構」（interlocking structure），外殼上的鱗甲彼此之間會相互勾聯，並且平貼在石鱉的身上，當某個鱗甲受到外力時，便會推擠旁邊的鱗甲來分散壓力，讓柔軟的身體不會受到損害。研究團隊於是便找來建築設計師一同合作，製作出具有兼具活動度與保護力的護具。

桑娜正坐在火爐旁補著破帆，屋外寒風呼嘯，海上正起著風暴，外面又黑又冷，這間漁家的小屋裡卻溫暖而舒適。在掛著帳子的床上，五個孩子正安靜的睡著，丈夫清早駕著小船出海還沒有回來，桑娜聽著波濤的轟鳴和狂風的怒吼，感到心驚肉跳。

桑娜沉思著：丈夫冒著寒冷和風暴出去打魚，她自己也從早到晚的幹活，可是也只能勉強填飽肚子，孩子們沒有鞋穿，吃的是黑麵包，桌上的菜色永遠只有魚，桑娜傾聽著風暴的聲音，不安的喃喃自語。

始終不見丈夫回來，桑娜心想：燈塔是不是還亮著，丈夫的小船能不能望見呢？她決定去看看，可是海面上什麼也看不見，風掀起她的圍巾，桑娜想起了她傍晚就想去探望的那個生病的寡婦。「沒有一個人照顧她啊？」桑娜一邊想，一邊敲了敲門，她側著耳朵聽，沒有人應答。

桑娜站在門口想：「她家的孩子雖然不算多——只有兩個，可是全靠她一個人張羅，如今又加上病痛，唉，寡婦的日子真難過啊，進去看看吧。」

桑娜一次又一次的敲門，仍舊沒有人答應。

「喂，西蒙！」桑娜喊了一聲，心想，該不會出什麼事了，她猛的推開門。

屋內又溼又冷，桑娜舉起馬燈，看到裡頭放著的一張床，床上仰面躺著一動也不動的寡婦，桑娜把馬燈舉得更近些，寡婦冰冷發青的臉上顯出死的寧靜，在她身旁睡著兩個很小的孩子，身上蓋著衣服，蜷縮著身子，顯然母親在臨死的時候，拿自己的衣服蓋在他們身上，還用舊頭巾包住他們的小腳，他們睡得又香又甜。

桑娜用頭巾裹住睡著的孩子，把他們抱回家裡，她的心跳得很厲害，她也不知道為什麼自己要這樣做，但是她覺得非這樣做不可。

回到家裡，她讓他們同自己的孩子睡在一起，她臉色蒼白，神情激動：「他會說什麼呢？我們有的五個孩子已經夠他受的了，嗯……是他回來啦？……不，還沒回來……我為什麼把他們抱過來啊？……他會揍我的，是我自作自受……揍我一頓也好。」

門吱嘎一聲，桑娜從椅子上跳起來，

「不，門口沒有人……我為什麼要這樣做？……叫我怎麼說的出口呢？……」桑娜久坐在床前。

門突然開了，魁梧黧黑的漁夫拖著破掉的魚網走進來：「我回來了，桑娜。」

桑娜站起來，不敢抬起眼睛看他。

「這樣的夜晚，太可怕了。」

「是啊，天氣壞透了，哦，魚打得怎麼樣？」

「什麼也沒有打到，還把網給撕破了，我簡直記不起幾時有過這樣的夜晚了，別說打魚了……我不在，你在家裡做些什麼呢？」

「我啊……」桑娜臉色發白，說：「縫縫補補……風吼得這麼凶，真叫人害怕，我可替你擔心呢！」

「這天氣真是活見鬼，可是你能怎樣？」丈夫喃喃的說。

兩個人沉默了一陣。

「你知道嗎？」桑娜說：「咱們的鄰居西蒙死了。」

「什麼時候？」

「我也不知道，大概是昨天，唉，她死得好慘啊，兩個孩子都在她身邊。他們都那麼小……」桑娜沉默了。

漁夫皺起眉，臉色變得嚴肅。「是個問題。」他搔搔後腦勺說：「你看怎麼辦？得把他們抱來，和死人待在一起怎麼行？哦，我們，我們總能熬過去的，快去，別等他們醒來。」

但桑娜坐著一動不動。

「你怎麼啦，不願意嗎？你怎麼啦，桑娜？」

「你瞧，他們在這裡啦！」桑娜拉開了帳子。

（改寫自托爾斯泰〈窮人〉）

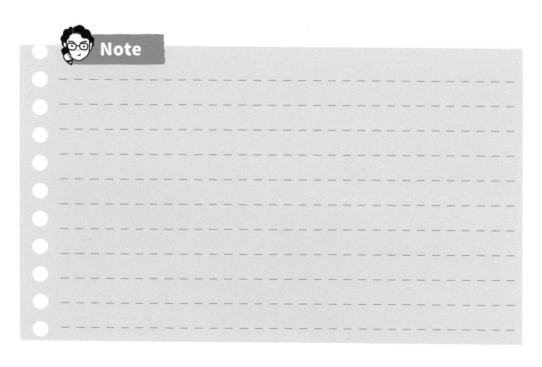

# 13

## 綜合練習

認識了 12 個閱讀心法後，你是不是更能掌握文本了呢？現在，就去練習使用已學的閱讀理解方法吧！讀完文本後，也可以想想自己是否同意作者的觀點喔！

# 武林盟主——金庸

刀光劍影、神兵利器、靈丹妙藥、幫會門派……，在手機遊戲的推波助瀾之下，「武俠」並非時下青少年所陌生的詞彙。說起武俠的淵源與內涵，最早可以追溯到唐傳奇中的〈虯髯客傳〉、〈聶隱娘〉等篇章，而「武俠小說」這類作品，則可以從清代的《三俠五義》開始講起。在中華民國建立初期，以還珠樓主為首的一批作家繼承了武俠小說的發展，創作出如《蜀山劍俠傳》這樣膾炙人口的作品。

不過，武俠小說高峰發生在 1950 年代。這時期的代表人物是香港的金庸和梁羽生，以及臺灣的古龍。其中，要說知名度最高、影響力最大的「武林泰斗」則非金庸莫屬。

金庸，本名查良鏞，1924 年出生於浙江海寧。海寧查氏是書香世家，良鏞幼時即受到良好的教育。後來對日抗戰爆發，隨學校輾轉各地，但始終未中斷學習，最終他在上海東吳大學取得國際法學位，並在畢業後投入記者工作。擔任記者時期，他結識了好友梁羽生，並開始以筆名「金庸」創作武俠小說，在《新晚報》、《香港商報》等報刊上發表連載。

金庸的創作豐富，整個創作生涯寫出十五部、總計超過 800 萬字的武俠小說，深獲兩岸四地華人讀者的喜愛，被譽為「有華人的地方，就有金庸的武俠」，有些作品亦被翻譯為英文，譯介給英美地區的讀者，甚至有許多人本著對於金庸的喜愛，出現了與研究《紅樓夢》的「紅學」類似的「金學」。近年來，隨著流行娛樂文化的發展，多部小說被改編為影視、電玩等延伸作品，持續影響著新一代的「讀者」。

在梁羽生與金庸之前，以還珠樓主等人為主的「舊派武俠」多受限於傳統的觀念與陳腔濫調，人物顯得扁平而故事具有規訓意味。金、梁、古所代表的「新派武俠」則更貼近大眾，借鑒了西方的創作元素，採用了較平易但保有古典韻味的語言，同時對「俠」這個概念的重新省思，使其不只是一種「以武犯禁」的特異人士，而是一種與人們更貼近的美好人格。

在這個突破過程中，金庸作品亦能巧妙的將大量的中華歷史、文化、哲學融入武俠小說之中，確保作品娛樂性的同時，也豐富了作品的文化與思想意涵。例如《射雕英雄傳》中反覆出現儒家思想中的「仁」的精神，《神鵰俠侶》探討「情」與「傳統禮教」的衝突，《天龍八部》對「眾生」與「因緣」進行思辯，封筆作《鹿鼎記》中甚至設計了一個完全不會武功的主人公韋小寶，藉此對「武俠」進行反思。這樣大格局的創作理念與豐碩的寫作成

果，使得金庸成為公認的「武林盟主」，也讓在當時歷史環境下面臨精神原鄉丟失的華人，找到了文化與身份認同的棲身之處。

　　如今，那些原來在紙上的絕世武功已經轉移到小小的發光螢幕上了，不過正如同金庸在《笑傲江湖》中創造的神祕武功「獨孤九劍」一般，武俠精神的傳遞或許也將進入「無招勝有招」的境地：無論武林──這個世界──將如何變化，我們要做的只是順守本心，靜靜觀察。

**Note**

# 風有多快？

臺灣位處西北太平洋副熱帶海域，每年夏天都有颱風侵襲。臺灣人對於輕度颱風、強烈颱風這些分級名詞都不陌生，但是關於更根本的「風速」，我們又知道多少呢？

現代關於風速的觀測與定義標準，乃是以英國人弗朗西斯‧蒲福（Francis Beaufort）所發明的「蒲福氏風級」為基準。該風級表從 1805 年開始使用，至今已有 200 餘年的歷史，雖然期間因為科學與科技的進步，出現了更多更為精準的測量工具與方法，但蒲福氏風級仍然是世界氣象組織所建議的風速分級標準。

蒲福氏風級並不對風的速度進行絕對、精準的定義，而是透過觀察風對海面和地面物體的影響，來將風速進行級別的區分。這種方法在測量上稱為「定性尺度」，與之相對的是如公分、公斤這樣有相對精準單位定義的「定量尺度」。在精準測量技術尚未出現的古代或數字更難精準體現的領域，定性尺度使用得較為廣泛，且定性尺度的描述往往比定量尺度更直觀，更容易理解。

蒲福氏風級最初將風分為 0 至 12 共 13 個等級。1950 年代後，人們發現實際的風速可以遠遠大於 12 級，因此又將風級擴展到 17 級。不過這樣擴展後的風級並沒有得到所有氣象機構的認可，世界氣象組織的分級建議也仍為 12 級。

雖然蒲福式風級是世界氣象組織的建議分級，但在航海上，隨著測風儀器的改善，不少國家已經放棄以蒲福式風級航海，而改用「節」為表示風速的主要單位。相較於描述具體物象的蒲福式風級，節是精準的速度單位，其定義為「每小時一海里」。它不只用來標示風速，也可以用來表示船隻的航行速度。

| 風級 | 風速 | 描述風力術語 | 浪高（米） | 海上情況 |
|------|------|--------------|------------|----------|
| 0-1 | 0-2 | 無風 | 0-0.1 | 無浪 |
| 1-3 | 2-6 | 軟風 | 0.1-0.3 | 波紋柔和，如鱗狀，波峰不起白沫。 |
| 4-6 | 7-12 | 輕風 | 0.3-0.5 | 小波相隔仍短，但波浪顯著；波峰似玻璃，光滑而不破碎。 |

| 風級 | 風速 | 描述風力術語 | 浪高（米） | 海上情況 |
|---|---|---|---|---|
| 7-10 | 13-19 | 微風 | 0.5-0.9 | 小波相隔仍短，但波浪顯著；波峰似玻璃，光滑而不破碎。 |
| 11-16 | 20-30 | 和風 | 0.9-1.25 | 小波漸高，形狀開始拖長，白頭浪頗頻密。 |
| 17-21 | 31-40 | 清風 | 1.25-2.5 | 中浪，形狀明顯拖長，白頭浪更多，間中有浪花飛濺。 |
| 22-27 | 41-51 | 強風 | 2.5-3 | 大浪出現，四周都是白頭浪，浪花頗大。 |
| 28-33 | 52-62 | 疾風 | 3-4 | 海浪突湧堆疊，碎浪之白沫，隨風吹成條紋狀。 |
| 34-40 | 63-75 | 大風 | 4-6 | 接近高浪，浪峰碎成浪花，白沫被風吹成明顯條紋狀。 |
| 41-47 | 76-87 | 烈風 | 6-9 | 高浪，泡沫濃密；浪峰捲曲倒懸，頗多白沫。 |
| 48-55 | 88-103 | 狂風 | 9-11 | 非常高浪。海面變成白茫茫，波濤衝擊，能見度下降。 |
| 56-65 | 104-117 | 暴風 | 11-14 | 波濤澎湃，浪高可以遮掩中型船隻；白沫被風吹成長片於空中擺動，遍及海面，能見度減低。 |
| 64-71 | 118-132 | 颶風 | ≧ 14 | 海面空氣中充滿浪花及白沫，全海皆白；巨浪如江傾河瀉，能見度大為降低。 |

蒲福式風級表，除海面情況外，也有陸上情況的相關描述，但陸上出現強風的頻率較低，故不列入。

# 大排「長榮」誰負責？

2021 年 3 月 23 日，長榮海運旗下的貨運輪長賜號在行經連接紅海與地中海的蘇伊士運河時，遭遇到風速高達 40 節（約時速 76 公里）的沙塵暴。長達 400 公尺的船身在強風的吹襲下偏離航道，碰撞運河底部而擱淺。由於該段的運河河道狹窄，擱淺的長賜輪完全阻斷了運河交通，超過 300 艘的船隻被迫「排隊」，致使海上交通完全阻塞。

途經蘇伊士運河的歐亞航線在全球貿易流量中占約 12%，使得運河阻塞的每一小時，經濟損失就高達四億美元。數以千萬噸計的貨物或停留在運河，或改走航程增加 6480 公里的非洲好望角路線，造成海運成本增加。此外，全球的能源市場也受到影響。據估計，10% 的石油運輸仰賴蘇伊士運河，交通受阻造成原油價格上漲近 6%。

船隻救援工作持續了六日，中間經歷了卸下長賜輪上貨物以減輕重量，出動機械開挖河岸，抽出破損船艙中的積水，最後以拖船將船隻拖出。3 月 29 日，長賜輪脫困，運河於當日的 19：00 正式恢復雙向通航。長達一週的「大排長榮事件」正式落幕。

全球經濟交通重回正軌，但長賜輪的麻煩還沒結束，它將面臨的是來自四面八方的天價賠償金。

早在事件發生的當下，賠償問題就是事件關係人與外界所關注的焦點。與一般大眾認知不同的是，負責營運的長榮海運公司在這次事件中不只不需負責，還可以求償。3 月 25 日，長榮海運發表聲明，因為長賜輪是長榮向日本船東公司正榮汽船所承租的貨輪，貨輪的航行、維護、人力派遣都由船東公司負責，因此正榮汽船需要為此事件負起主要的可能責任並賠償相關單位，包括蒙受實質經濟與名譽損失的周邊國家、蘇伊士運河管理局、其他貨輪，以及長榮海運。

這個說法隨著時間推移而獲得證實。正榮汽船在事件發生的三日後發出道歉聲明，隨後並承諾妥善處理之後的賠償事宜。

在釐清主要咎責對象之後，接下來便是賠償金額問題。由於賠償金額巨大，船東公司與蘇伊士運河管理局展開漫長的交涉。曾有消息指出，負責主要救援工作的埃及曾對長賜輪提出十億美元的求償金額，正榮汽船對此並未作出正面回應。因為賠償始終未能達成協議，長賜輪從 3 月 29 日脫困後，至六月仍被扣押在蘇伊士運河中的大苦湖中。蘇伊士運河管理局認為，船長在長賜號面對強風時指揮不當是事件主因；但正榮汽船的法律代表指出，

蘇伊士運河管理局在惡劣天候下放行貨輪進入運河難辭其咎，要求船東賠償的金額並不合理。

　　當然，除了船東公司之外，在這次事件中荷包大失血的還有船東和海運業者的保險公司。這種跨國貨物運輸通常投保鉅額的保險，根據對長賜號裝載貨品的價值估計，本次事件的總理賠金額將高達數十億美元。

**Note**

# 獵戶座變暗事件

夜空中的無數繁星自古以來總是引起人們的遐想，在所有對星星的想像中，最廣為人知的應屬古希臘人的神話了。希臘人繼承了巴比倫的占星學知識，發展出成為日後占星術主流的「黃道十二宮」概念；善於想像的他們同時也為大部分的星座創作動人的故事，獵戶座俄里翁的故事就是其中之一。

俄里翁是一名優秀的獵人，但他為人並不謙遜。宙斯的妻子——天后赫拉——為了懲戒驕傲的俄里翁，便派出毒蠍將他刺殺。聽聞俄里翁死訊的宙斯感到十分惋惜，就將這名獵人化為天空中的獵戶座，而刺死俄里翁的蠍子則化為天蠍座。這個故事並非毫無根據的捏造，故事中蠍子與獵人仇深似海，化為星座後，在希臘人所在的北半球夜空中同樣「王不見王」：當一方從地平線升起時，另一方必定在另一端落下。

作為北半球冬季夜空中最壯麗的星座，想要辨認出獵戶座不是難事。由三顆亮星——參宿一、參宿二及參宿三——整齊排列而成的「獵戶腰帶」非常顯眼，更是觀察獵戶座的第一步；而在腰帶的四周，分別代表獵戶座四肢的四顆星星（參宿四、參宿五、參宿六、參宿七）也同樣容易尋得。其中，「獵戶座的右肩」參宿四又與天狼星、南河三組成「冬季大三角」。透過定位獵戶座，我們也可以快速的找到星空中的其他星座，例如大犬座、雙子座和金牛座。

不過，這個具有代表性的星座在 2019 底時曾一度引起天文學家的困惑，更引發了一些民眾的緊張。原因是正在於右肩的參宿四突然急劇降低的光度。在短短數週之內，這顆星星從原來的夜空中第九亮星跌出了 20 名之外。參宿四在恆星的歸類上是一顆「紅超巨星」，其質量是太陽的 15～20 倍，這種巨型恆星變暗的其中一種可能原因，是它正在迎接死亡，準備發生「超新星爆炸」。

超新星爆炸會將恆星上的「殘骸」向四周噴射，其中包含大量的高能粒子和射線。因此，許多人擔憂參宿四變暗可能對地球造成影響。不過，科學家對此作出澄清：通常只有距離地球十光年內的恆星發生超新星爆炸才可能破壞地球大氣，進而摧毀地球生態；而參宿四距離地球約 700 光年。事實上，參宿四的超新星爆炸甚至是不少人引頸期盼的天文奇觀：至今，人類雖然有觀測到超新星爆炸的歷史，但這些超新星距離地球的距離比起參宿四都都要遠得多。科學家們估計，參宿四的超新星爆炸將可能在夜空產生一個與月亮一樣亮的

天體。

　　這個「夢想」在變暗事件的數個月後破滅了。參宿四在 2020 年春天逐漸回復亮度，達到了過往的水準。經過一年的研究，天文學家們對這次的變暗事件有了普遍的共識：一片巨大的星塵飄過了參宿四與地球之間，阻擋了它的光線。

　　然而，一則以憂，一則以喜，科學家指出參宿四可能爆炸的時間──約在數十萬年之後，這意味著我們都無緣得見這樣壯觀的「死亡」；然而，這也代表著冬季大三角仍將高懸夜空，獵人俄里翁將仍會牽領大犬與小犬追逐金牛，並與蠍子繼續上演著宇宙的捉迷藏。

**Note**

晨讀10分鐘系列 043

# [小學生]
## 閱讀素養故事集

總策劃｜黃國珍
題目設計｜陳昆志、品學堂編輯群
漫畫｜毛豬
插畫｜水腦

責任編輯｜楊琇珊
封面設計｜楊中豪
美術設計｜劉曉樺
行銷企劃｜葉怡伶、陳詩茵

天下雜誌群創辦人｜殷允芃
董事長兼執行長｜何琦瑜
媒體暨產品事業群
總經理｜游玉雪
副總經理｜林彥傑
總編輯｜林欣靜
行銷總監｜林育菁
副總監｜李幼婷
版權主任｜何晨瑋、黃微真

出版者｜親子天下股份有限公司
地址｜臺北市104建國北路一段96號4樓
電話｜（02）2509-2800 傳真｜（02）2509-2462
網址｜www.parenting.com.tw
讀者服務專線｜（02）2662-0332 週一～週五：09:00~17:30
讀者服務傳真｜（02）2662-6048
客服信箱｜parenting@cw.com.tw
法律顧問｜臺英國際商務法律事務所・羅明通律師
製版印刷｜中原造像股份有限公司
總經銷｜大和圖書有限公司 電話：（02）8990-2588

出版日期｜2021年9月第一版第一次印行
　　　　　2024年8月第一版第四次印行
定價｜380元
書號｜BKKCI027P
ISBN｜978-626-305-072-3（平裝）

訂購服務 ─────────────────
親子天下 Shopping｜shopping.parenting.com.tw
海外 ・ 大量訂購｜parenting@cw.com.tw
書香花園｜台北市建國北路二段6巷11號 電話（02）2506-1635
劃撥帳號｜50331356　親子天下股份有限公司

國家圖書館出版品預行編目資料

閱讀素養故事集/陳昆志、品學堂編輯群作；
毛豬漫畫；水腦插畫. -- 第一版. -- 臺北市：親
子天下股份有限公司, 2021.09
176面；19 x 25公分. -- (晨讀10分鐘；43)
ISBN 978-626-305-072-3(平裝)

1.閱讀指導 2.初等教育

523.31　　　　　　　　　　　110012790

更多品學堂閱讀平臺延伸閱讀文章，
請掃描 QR Code。

立即購買 >